BALZAC
Texte intégral

Le Colonel Chabert

Ouvrage publié sous la direction de

Annette FLORE...

D1417558

Édition présentée par
Frédéric de SCITIVAUX
Ancien élève de l'E.N.S. Fontenay - Saint-Cloud
Agrégé de Lettres modernes

CLASSIQUES BORDAS

	RÉVOLUTION	DIRECTOIRE	CONSULAT	EMPIRE	RESTAURATION	MONARCHIE DE JUILLET	IIᵉ RÉPUBIQU
	1789	1795	1799	1804	1815	1830	1848	18

1783 STENDHAL 1842

1768 CHATEAUBRIAND 1848

1799 BALZAC 1850

1802 HUGO 18

1821 FLAUBERT 1880

Œuvres de Balzac

1820 *Cromwell*

1829 *Les Chouans*
Physiologie
du mariage

1831 *La Femme de trente ans*
La Peau de chagrin

1832 *Louis Lambert*
Le Colonel Chabert
Le Curé de Tours

1833 *Le Médecin*
de campagne
Eugénie Grandet
La Duchesse de Langeais
L'Illustre Gaudissart

1835 *Le Père Goriot*

1836 *Le Lys dans la vallée*
La Vieille Fille

1837 *César Birotteau*

1837-1843 *Illusions perdues*

1838-1847 *Splendeurs et misères*
des courtisanes

1839 *Le Cabinet des antiques*
Béatrix

1840 *Vautrin*

1841 *Ursule Mirouët*

1842 « *Avant-propos* » de
La Comédie humaine
Le Curé de village
La Rabouilleuse

1843 *Une ténébreuse affaire*

1844 *Modeste Mignon*

1846 *La Cousine Bette*

1847 *Le Cousin Pons*

© Bordas, Paris, 1994
ISBN 2-04-028015-4

Sommaire

Honoré de Balzac, dessin original à la plume et au lavis
de Paul Gavarni (1804-1866), vers 1840.

Le Colonel Chabert

Roman ou nouvelle ? Mélodrame ou récit réaliste ? Conte fantastique, ou philosophique ? *Le Colonel Chabert* s'impose, inclassable, à la frontière de ces différents genres. Il est vrai que l'aventure d'un homme tombé sur un champ de bataille, donné pour mort, miraculeusement ressuscité, et venu réclamer son bien, sa femme et jusqu'à son nom dont on l'a privé semble, de prime abord, assez inconcevable. Et pourtant, le fait est fréquent dans l'Histoire, et le thème récurrent dans la littérature ou au cinéma, depuis Ulysse qui, de retour de la guerre de Troie, doit reconquérir, devant les prétendants de Pénélope, son palais, sa femme, son nom et son titre de roi, jusqu'à Martin Guerre, ce paysan que la communauté villageoise refuse de reconnaître et rejette à son retour du combat.

Le texte de Balzac est sans doute indirectement inspiré de cas réels, mais il reflétait surtout, en 1832, le regard qu'une époque, la Restauration, portait sur une autre, la Révolution et l'Empire. Le succès fut immédiat, et le texte fut transposé au théâtre dès sa parution. Les différentes adaptations, théâtrales et cinématographiques du roman, au XIXe et au XXe siècles, les innombrables traductions démontrent, s'il en était besoin, l'éternité du thème et la qualité de l'œuvre.

Mais ce n'est sans doute pas seulement par là que *Le Colonel Chabert* nous frappe et nous émeut. L'œuvre évoque des thèmes aussi poignants que la solitude, la confrontation avec la mort, l'expérience de la trahison, la perte de l'identité, le désespoir. Et la dimension métaphysique que prend, dans l'aventure de Chabert, personnage magnifique et pitoyable, la question matérielle, morale et politique de l'exclusion sociale, donne un éclairage plus que troublant à ce problème, éternellement d'actualité.

Honoré de Balzac est né à Tours, le 20 mai 1799, à peine six mois avant le coup d'État de Bonaparte (☞ p. 110), d'un père de 53 ans, directeur des vivres et des approvisionnements et d'une mère de 21 ans. Les Balzac mènent en province un train de vie confortable : dans les premières années du XIXᵉ siècle, le père de Balzac achète un hôtel particulier à Tours et s'attribue une particule.

Balzac a volontiers donné de son enfance une image empreinte de tristesse. Il fut mis en nourrice parce que sa mère avait perdu un premier enfant qu'elle avait essayé d'allaiter. Laure, sa première sœur naît en 1800, et Laurence, sa seconde sœur en 1802. En 1807, un frère, Henri, naît d'une liaison adultère de sa mère. Honoré pensera toujours qu'elle lui préfère Henri.

Balzac, saute-ruisseau

En 1807, il entre au Collège des Oratoriens de Vendôme, et le quitte six ans plus tard. En 1814, son père est nommé à Paris, et y emmène sa famille. Mme de Balzac ambitionne pour son fils une carrière de notaire. Balzac entre comme clerc chez un notaire parisien, maître Guyonnet-Merville, dont l'étude, son nom l'indique assez, est très certainement le modèle de l'étude Derville dans le *Colonel Chabert*. Il y reste trois ans, de 1816 à 1819. Mais la carrière juridique ne tente guère Balzac, qui se sent plus attiré par la carrière littéraire.

Sa décision prise, il l'annonce à ses parents qui l'acceptent. Balzac s'installe, avec leur soutien, dans une mansarde de la rue Lesdiguières à Paris et se lance à corps perdu dans l'écriture. Ses premières tentatives ne seront pas franchement couronnées de succès. La première œuvre que Balzac jette en pâture à un public familial et amical est un drame, achevé en 1820 : *Cromwell*, que ses premiers auditeurs condamneront à peu près unanimement. Ce coup d'essai marque du sceau de l'échec la volonté tenace de Balzac de faire carrière dans le théâtre. C'est à cette époque que Balzac se met à écrire, pour un « libraire » (c'est-à-dire un éditeur), des romans historiques destinés à un public populaire.

Les premiers succès

En 1822, Balzac rencontre, à Villeparisis où il s'est installé avec ses parents, Mme de Berny, qu'il appellera la « dilecta », l'élue de son cœur, et se prend pour elle d'une très vive passion. De vingt ans son aînée, elle joue auprès de lui le rôle d'une mère, aussi bien que d'une amante. Elle l'encourage à écrire, l'introduit dans le monde et lui fournit l'argent avec lequel il devient éditeur, puis imprimeur. Cette tentative est un désastre financier, et Balzac passe de très longues années à éponger les dettes qu'entraîne cette faillite.

En 1829, le succès de la *Physiologie du mariage* ouvre largement à Balzac les portes des éditeurs, des directeurs de journaux, et du monde. Il rencontre ainsi d'anciens officiers d'Empire, et des femmes de l'aristocratie impériale. Parmi elles figurent Madame Récamier et la duchesse d'Abrantès, ancienne maîtresse de Napoléon et femme du général Junot. *La Peau de chagrin* (1831) et *Louis Lambert* (1832) achèvent de faire de Balzac un romancier accompli. La duchesse d'Abrantès, avec qui Balzac se lie dès 1829, lui a très vraisemblablement fourni, par le témoignage qu'elle a pu lui apporter sur la société de l'Empire, bien des éléments du *Colonel Chabert*, publié trois ans plus tard.

La Comédie humaine, un monde romanesque

C'est de cette période aussi que date son amour malheureux pour la marquise de Castries, inspiratrice de *La Duchesse de Langeais* (1833), et la lettre d'une admiratrice inconnue, Mme Hanska, comtesse polonaise avec qui il engage une correspondance de quinze ans, et qu'il finira par épouser, peu de temps avant sa mort, en 1850. Parallèlement, Balzac rédige les plus grands chefs-d'œuvre de *La Comédie humaine* : *Eugénie Grandet* (1833), *Le Père Goriot* (1835), *Le Lys dans la vallée* (1836), *Illusions perdues* (1843), *Splendeurs et misères des courtisanes* (1847), parmi plus de quatre-vingt-dix romans.

Pour la première fois, en 1833, Balzac a l'idée du retour des mêmes personnages dans des romans différents, et il expérimente ce procédé dans *Le Père Goriot*. Il fixe d'abord trois sections pour servir de cadre aux romans déjà écrits et à sa création encore à venir : *Études de mœurs*, *Études philosophiques*, *Études analytiques*. Mais ce n'est qu'en 1842 qu'il trouve le titre de l'ensemble, *La Comédie humaine*, en référence à Dante et à la *Divine Comédie*. L'ambition de Balzac est d'y *« faire concurrence à l'État civil »*, en créant un univers peuplé de toutes les créatures que pourrait contenir un monde réel. La légende raconte que cet univers était si présent à son imagination qu'à son agonie, il appelait à son chevet Horace Bianchon, le célèbre médecin de *La Comédie humaine*.

Le texte de la présente édition est celui du « Furne corrigé », édition de l'ensemble de La Comédie humaine *en 1844, annoté par Balzac lui-même pour une nouvelle édition. Le découpage en trois chapitres est celui de la seconde version parue en 1835 (☞ p. 109).*

LE COLONEL
CHABERT

Chapitre I
Une étude d'avoué

« Allons! encore notre vieux carrick[1] ! »

Cette exclamation échappait à un clerc appartenant au genre de ceux qu'on appelle dans les études des *saute-ruisseaux*[2], et qui mordait en ce moment de fort bon appétit dans un morceau de pain ; il en arracha un peu de mie pour faire une boulette et la lança railleusement par le vasistas d'une fenêtre sur laquelle il s'appuyait. Bien dirigée, la boulette rebondit presque à la hauteur de la croisée, après avoir frappé le chapeau d'un inconnu qui traversait la cour d'une maison située rue Vivienne, où demeurait Mᵉ Derville, avoué[3].

« Allons, Simonnin, ne faites donc pas de sottises aux gens, ou je vous mets à la porte. Quelque pauvre que soit un client, c'est toujours un homme, que diable ! » dit le Maître clerc en interrompant l'addition d'un mémoire de frais.

Le saute-ruisseau est généralement, comme était Simonnin, un garçon de treize à quatorze ans, qui dans toutes les études se trouve sous la domination spéciale du Principal clerc dont les commissions et les billets doux l'occupent tout en allant porter des exploits[4] chez les huissiers et des placets[5] au Palais. Il tient au gamin de Paris par ses mœurs, et à la Chicane[6] par

---

1 *Carrick* : redingote à capes superposées que portaient les cochers. Ce vêtement était déjà un peu démodé en 1819.
2 *Saute-ruisseau* : jeunes garçons employés dans les études de notaires.
3 *Avoué* : officier de justice institué sous la Révolution française, chargé de représenter les gens auprès du tribunal (le Palais de justice).
4 *Exploits* : actes transmis par les huissiers pour signifier une décision de justice.
5 *Placets* : demandes adressées au tribunal pour obtenir une audience, déclencher une action en justice.
6 *Chicane* : univers de gens de justice définis par leur goût de la procédure (avoués, huissiers, etc.).

sa destinée. Cet enfant est presque toujours sans pitié, sans frein, indisciplinable, faiseur de couplets, goguenard, avide et paresseux. Néanmoins presque tous les petits clercs ont une vieille mère logée à un cinquième étage avec laquelle ils parta-
25 gent les trente ou quarante francs qui leur sont alloués par mois.

« Si c'est un homme, pourquoi l'appelez-vous *vieux carrick* ? » dit Simonnin de l'air de l'écolier qui prend son maître en faute.

Et il se remit à manger son pain et son fromage en accotant[1]
30 son épaule sur le montant de la fenêtre, car il se reposait debout, ainsi que les chevaux de coucou[2], l'une de ses jambes relevée et appuyée contre l'autre, sur le bout du soulier.

« Quel tour pourrions-nous jouer à ce chinois-là ? » dit à voix basse le troisième clerc nommé Godeschal en s'arrêtant au
35 milieu d'un raisonnement qu'il engendrait dans une requête grossoyée[3] par le quatrième clerc et dont les copies étaient faites par deux néophytes venus de province. Puis il continua son improvisation : ... *Mais, dans sa noble et bienveillante sagesse, Sa Majesté Louis Dix-Huit* (mettez en toutes lettres, hé ! Desroches
40 le savant qui faites la Grosse), *au moment où Elle reprit les rênes de son royaume, comprit...* (qu'est-ce qu'il comprit, ce gros farceur-là ?) *la haute mission à laquelle Elle était appelée par la divine Providence !......* (point admiratif et six points : on est assez religieux au Palais pour nous les passer), *et sa première pensée fut,*
45 *ainsi que le prouve la date de l'ordonnance ci-dessous désignée, de réparer les infortunes causées par les affreux et tristes désastres de nos temps révolutionnaires, en restituant à ses fidèles et nombreux serviteurs* (nombreux est une flatterie qui doit plaire au Tribunal) *tous leurs biens non vendus, soit qu'ils se trouvassent dans le*
50 *domaine public, soit qu'ils se trouvassent dans le domaine ordinaire ou extraordinaire de la couronne, soit enfin qu'ils se trouvassent dans les dotations d'établissements publics, car nous sommes et nous*

---

1 *En accotant* : en appuyant.
2 *Coucou* : petite voiture publique qui parcourait les environs de Paris. Les coucous sont les ancêtres de nos transports en communs.
3 *Grossoyer* : écrire un acte ou un jugement en caractères gros et lisibles. La *Grosse* désigne l'acte ainsi rédigé.

nous prétendons habiles à soutenir que tel est l'esprit et le sens de la fameuse et si loyale ordonnance[1] rendue en... ! « Attendez, dit
55 Godeschal aux trois clercs, cette scélérate de phrase a rempli la fin de ma page. – Eh bien, reprit-il en mouillant de sa langue le dos du cahier afin de pouvoir tourner la page épaisse de son papier timbré, eh bien, si vous voulez lui faire une farce, il faut lui dire que le patron ne peut parler à ses clients qu'entre deux
60 et trois heures du matin : nous verrons s'il viendra, le vieux malfaiteur ! » Et Godeschal reprit la phrase commencée : « *rendue en...* Y êtes-vous ? demanda-t-il.

– Oui », crièrent les trois copistes.

Tout marchait à la fois, la requête, la causerie et la conspi-
65 ration.

« *Rendue en...* Hein ? papa Boucard, quelle est la date de l'ordonnance ? il faut mettre les points sur les i, saquerlotte ! Cela fait des pages.

– *Saquerlotte* ! répéta l'un des copistes avant que Boucard
70 le Maître clerc n'eût répondu.

– Comment, vous avez écrit *saquerlotte* ? s'écria Godeschal en regardant l'un des nouveaux venus d'un air à la fois sévère et goguenard.

– Mais oui, dit Desroches le quatrième clerc en se penchant
75 sur la copie de son voisin, il a écrit : *Il faut mettre les points sur les i*, et *sakerlotte* avec un k.

Tous les clercs partirent d'un grand éclat de rire.

« Comment, monsieur Huré, vous prenez *saquerlotte* pour un terme de Droit, et vous dites que vous êtes de Mortagne[2] !
80 s'écria Simonnin.

– Effacez bien ça ! dit le Principal clerc. Si le juge chargé de taxer[3] le dossier voyait des choses pareilles, il dirait qu'on *se moque de la barbouillée*[4] ! Vous causeriez des désagréments au patron. Allons, ne faites plus de ces bêtises-là monsieur Huré !

---

1 Une ordonnance avait été rendue par Louis XVIII en 1814, restituant leurs biens aux nobles expropriés pendant la Révolution (☞ p. 113).
2 Mortagne-au-Perche est un chef lieu de canton dans l'Orne, en Basse-Normandie ; *saquerlotte* : prononciation normande du juron *saperlotte*.
3 *Taxer* : fixer les frais de justice d'un dossier.
4 *Se moquer de la barbouillée* : débiter des absurdités.

Le Petit clerc (dit saute-ruisseau), lithographie de 1835 extraite des *Types français* d'Honoré Daumier (1808-1879).

Le début d'un roman, ou incipit (☞ p. 141) est toujours révélateur. Premier contact du lecteur avec l'univers de la fiction, il donne souvent le ton et définit le mode de la narration.

RÉFLÉCHIR

Genres : *Une ouverture théâtrale*

1. Par quels procédés Balzac parvient-il à nous introduire directement dans l'univers du roman ? Commentez à cet égard la première phrase.

2. La scène est très animée : étudiez le jeu des personnages, l'échange des répliques. Quel est le rôle de Boucard ?

3. Dans une adaptation de la scène pour le théâtre, quels sont les éléments qu'il faudrait garder ? supprimer ? En serait-il de même pour une adaptation cinématographique ?

Société : *Une matinée très ordinaire*

4. Analysez précisément l'atmosphère qui règne dans l'étude. Montrez que les personnages sont nettement caractérisés.

5. Porteur de commissions et d'actes juridiques, le saute-ruisseau est, d'après Balzac, *« sans pitié, sans frein, indisciplinable, faiseur de couplets, goguenard, avide et paresseux »* (p. 11). Repérez lesquels de ces traits de caractère sont présents dans la lithographie de la page 13.

6. Montrez que cette société est nettement hiérarchisée.

Style : *Humour et pittoresque*

7. Relevez et classez tous les termes techniques de la *« Basoche »*. Quel est l'effet produit par l'emploi de ce vocabulaire ?

8. Que signifie l'alternance des italiques et des caractères romains dans la dictée de la requête ?

9. Analysez et commentez les figures employées dans le texte de la requête : périphrases (☞ p. 142), métaphores (☞ p. 141), formules consacrées. Comment comprenez-vous le mot *« conspiration »* (l. 64) ?

10. Appréciez les jeux de mots et les traits d'esprit.

L'art du récit : *Un personnage absent ?*

11. Relevez, en les classant par ordre d'entrée en scène, les personnages figurant dans cet extrait.

12. Quel est le mode d'apparition des personnages ? Un personnage apparaît sur un mode très différent des autres : comment est-il désigné ? traité par les clercs ? Quel est l'effet produit ?

13. À quels moments le narrateur (☞ p. 142) manifeste-t-il sa présence ? Quel est son rôle dans la narration ?

85 Un Normand ne doit pas écrire insouciamment une requête. C'est le : *Portez arme*[1] ! de la Basoche[2].

– *Rendue en... en ?...* demanda Godeschal. Dites-moi donc quand, Boucard ?

– Juin 1814 », répondit le Premier clerc sans quitter son 90 travail.

Un coup frappé à la porte de l'étude interrompit la phrase de la prolixe[3] requête. Cinq clercs bien endentés, aux yeux vifs et railleurs, aux têtes crépues, levèrent le nez vers la porte, après avoir tous crié d'une voix de chantre[4] : « Entrez. » Boucard resta 95 la face ensevelie dans un monceau d'actes, nommés *brouille* en style de Palais, et continua de dresser le mémoire de frais auquel il travaillait.

L'étude était une grande pièce ornée du poêle classique qui garnit tous les antres de la chicane. Les tuyaux traversaient 100 diagonalement la chambre et rejoignaient une cheminée condamnée sur le marbre de laquelle se voyaient divers morceaux de pain, des triangles de fromage de Brie, des côtelettes de porc frais, des verres, des bouteilles, et la tasse de chocolat du Maître clerc. L'odeur de ces comestibles s'amalgamait si 105 bien avec la puanteur du poêle chauffé sans mesure, avec le parfum particulier aux bureaux et aux paperasses, que la puanteur d'un renard n'y aurait pas été sensible. Le plancher était déjà couvert de fange et de neige apportée par les clercs. Près de la fenêtre se trouvait le secrétaire à cylindre du Principal, et 110 auquel était adossée la petite table destinée au second clerc. Le second *faisait* en ce moment *le palais*[5]. Il pouvait être de huit à neuf heures du matin. L'étude avait pour tout ornement ces grandes affiches jaunes qui annoncent des saisies immobilières, des ventes, des licitations[6] entre majeurs et mineurs, des adju-

---

1 *Portez arme* : commandement militaire par lequel débute l'instruction des jeunes recrues ; ici, le b a-ba.
2 *La Basoche* : la profession des avoués et des clercs.
3 *Prolixe* : bavarde, verbeuse.
4 *Chantre* : chanteur dans un office religieux (ici, ironique).
5 *Faisait (...) le palais* : traitait des affaires au Palais de justice.
6 *Licitations* : ventes aux enchères de biens en indivision.

115 dications[1] définitives ou préparatoires, la gloire des études ! Derrière le Maître clerc était un énorme casier qui garnissait le mur du haut en bas, et dont chaque compartiment était bourré de liasses d'où pendaient un nombre infini d'étiquettes et de bouts de fil rouge qui donnent une physionomie spéciale aux dossiers
120 de procédure. Les rangs inférieurs du casier étaient pleins de cartons jaunis par l'usage, bordés de papier bleu, et sur lesquels se lisaient les noms des gros clients dont les affaires juteuses se cuisinaient en ce moment. Les sales vitres de la croisée laissaient passer peu de jour. D'ailleurs, au mois de février, il existe à
125 Paris très peu d'études où l'on puisse écrire sans le secours d'une lampe avant dix heures, car elles sont toutes l'objet d'une négligence assez concevable : tout le monde y va, personne n'y reste, aucun intérêt personnel ne s'attache à ce qui est si banal ; ni l'avoué, ni les plaideurs, ni les clercs ne tiennent à l'élégance
130 d'un endroit qui pour les uns est une classe, pour les autres un passage, pour le maître un laboratoire. Le mobilier crasseux se transmet d'avoués en avoués avec un scrupule si religieux que certaines études possèdent encore des boîtes à *résidus*, des moules à *tirets*, des sacs provenant des procureurs au *Chlet*,
135 abréviation du mot CHÂTELET[2], juridiction qui représentait dans l'ancien ordre de choses le tribunal de première instance actuel. Cette étude obscure, grasse de poussière, avait donc, comme toutes les autres, quelque chose de repoussant pour les plaideurs, et qui en faisait une des plus hideuses monstruosités
140 parisiennes. Certes, si les sacristies humides où les prières se pèsent et se payent comme des épices, si les magasins des revendeuses où flottent des guenilles qui flétrissent toutes les illusions de la vie en nous montrant où aboutissent nos fêtes, si ces deux cloaques de la poésie n'existaient pas, une étude d'avoué serait
145 de toutes les boutiques sociales la plus horrible. Mais il en est ainsi de la maison de jeu, du tribunal, du bureau de loterie et du mauvais lieu. Pourquoi ? Peut-être dans ces endroits le

---

1 *Adjudication* : attribution, par un jugement, de la propriété d'un bien à l'une des parties qui la revendiquent.
2 Détruit par Bonaparte en 1802, le Grand Châtelet était, sous l'Ancien Régime, le siège de la police et de la justice criminelle de Paris.

RÉFLÉCHIR

L'art du récit : *Une description balzacienne*

1. Quels éléments permettent de délimiter le début et la fin de cette description ? Quel est le point de vue adopté ? En quoi est-ce important ?

2. Comment la description progresse-t-elle ?

3. Quels indices grammaticaux ou stylistiques nous amènent à considérer cette étude comme typique des études d'avoués ?

Style : *Une métaphore filée*

4. Analysez précisément la métaphore (☞ p. 141) de la première phrase. Quel est le sens du mot « *antre* » ? Quelle est sa connotation ici ?

5. Étudiez comment les éléments de cette métaphore initiale sont développés dans la suite du texte.

Thèmes : *Un lieu sordide et misérable*

6. Relevez tous les termes qualifiant l'étude. Commentez les métonymies (☞ p. 142).

7. À partir de l'étude des champs lexicaux (☞ p. 141) de ce passage, retrouvez les traits principaux de l'univers évoqué ici.

8. Balzac définit l'étude par référence à d'autres lieux : lesquels ? Quel est l'effet recherché ?

Qui parle ? Qui voit ? *La présence du narrateur*

9. Relevez tous les adverbes d'énonciation (☞ p. 141). Dans quelle partie du texte apparaissent-ils ? Que peut-on en conclure ?

10. Étudiez les commentaires du narrateur (☞ p. 142).

11. Comment le discours du narrateur est-il construit ? Étudiez en particulier le rythme des phrases et appréciez les changements de ton. Comment Balzac parvient-il à nous communiquer l'« *horreur* » que lui inspirent de tels lieux ?

12. Ancien clerc de notaire (☞ p. 6), Balzac connaît bien le milieu de la basoche : appréciez l'exactitude de la description. Quels sont les sentiments exprimés ?

drame, en se jouant dans l'âme de l'homme, lui rend-il les acces-
soires indifférents : ce qui expliquerait aussi la simplicité des
150 grands penseurs et des grands ambitieux.

« Où est mon canif ?

– Je déjeune !

– Va te faire lanlaire[1], voilà un pâté sur la requête !

– Chît ! messieurs. »

155 Ces diverses exclamations partirent à la fois au moment où
le vieux plaideur ferma la porte avec cette sorte d'humilité qui
dénature les mouvements de l'homme malheureux. L'inconnu
essaya de sourire, mais les muscles de son visage se détendirent
quand il eut vainement cherché quelques symptômes d'aménité[2]
160 sur les visages inexorablement insouciants des six clercs. Accou-
tumé sans doute à juger les hommes, il s'adressa fort poliment
au saute-ruisseau, en espérant que ce pâtiras[3] lui répondrait
avec douceur.

« Monsieur, votre patron est-il visible ? »

165 Le malicieux saute-ruisseau ne répondit au pauvre homme
qu'en se donnant avec les doigts de la main gauche de petits
coups répétés sur l'oreille, comme pour dire : « Je suis sourd. »

« Que souhaitez-vous, monsieur ? demanda Godeschal qui
tout en faisant cette question avalait une bouchée de pain avec
170 laquelle on eût pu charger une pièce de quatre[4], brandissait son
couteau, et se croisait les jambes en mettant à la hauteur de son
œil celui de ses pieds qui se trouvait en l'air.

– Je viens ici, monsieur, pour la cinquième fois, répondit le
patient. Je souhaite parler à M. Derville.

175 – Est-ce pour une affaire ?

– Oui, mais je ne puis l'expliquer qu'à monsieur...

– Le patron dort, si vous désirez le consulter sur quelques
difficultés, il ne travaille sérieusement qu'à minuit. Mais si vous
vouliez nous dire votre cause, nous pourrions, tout aussi bien
180 que lui, vous... »

---

1 *Va te faire lanlaire* : expression populaire, employée pour « envoyer promener » quelqu'un.
2 *Aménité* : sympathie.
3 *Pâtiras* : souffre-douleur.
4 *Pièce de quatre* : pièce de canon (portant un boulet de quatre livres).

L'inconnu resta impassible. Il se mit à regarder modestement autour de lui, comme un chien qui, en se glissant dans une cuisine étrangère, craint d'y recevoir des coups. Par une grâce de leur état, les clercs n'ont jamais peur des voleurs, ils
185 ne soupçonnèrent donc point l'homme au carrick et lui laissèrent observer le local, où il cherchait vainement un siège pour se reposer, car il était visiblement fatigué. Par système, les avoués laissent peu de chaises dans leurs études. Le client vulgaire, lassé d'attendre sur ses jambes, s'en va grognant, mais il
190 ne prend pas un temps qui, suivant le mot d'un vieux procureur, n'est pas admis en *taxe*[1].

« Monsieur, répondit-il, j'ai déjà eu l'honneur de vous prévenir que je ne pouvais expliquer mon affaire qu'à M. Derville, je vais attendre son lever. »

195 Boucard avait fini son addition. Il sentit l'odeur de son chocolat, quitta son fauteuil de canne, vint à la cheminée, toisa le vieil homme, regarda le carrick et fit une grimace indescriptible. Il pensa probablement que, de quelque manière que l'on tordît ce client, il serait impossible d'en extraire un centime ; il inter-
200 vint alors par une parole brève, dans l'intention de débarrasser l'étude d'une mauvaise pratique.

« Ils vous disent la vérité, monsieur. Le patron ne travaille que pendant la nuit. Si votre affaire est grave, je vous conseille de revenir à une heure du matin. »

205 Le plaideur regarda le Maître clerc d'un air stupide, et demeura pendant un moment immobile. Habitués à tous les changements de physionomie et aux singuliers caprices produits par l'indécision ou par la rêverie qui caractérisent les gens processifs[2], les clercs continuèrent à manger, en faisant autant de
210 bruit avec leurs mâchoires que doivent en faire des chevaux au râtelier, et ne s'inquiétèrent plus du vieillard.

« Monsieur, je viendrai ce soir », dit enfin le vieux qui par une ténacité particulière aux gens malheureux voulait prendre en défaut l'humanité[3].

---

1 *Pas admis en taxe* : non facturé.
2 *Processifs* : qui aiment les procès, la procédure.
3 *Prendre en défaut l'humanité* : lui faire honte.

215 La seule épigramme[1] permise à la Misère est d'obliger la Justice et la Bienfaisance à des dénis[2] injustes. Quand les malheureux ont convaincu la Société de mensonge, ils se rejettent plus vivement dans le sein de Dieu.

« Ne voilà-t-il pas un fameux *crâne*[3] ? dit Simonnin sans
220 attendre que le vieillard eût fermé la porte.

– Il a l'air d'un déterré, reprit le dernier clerc.

– C'est quelque colonel qui réclame un arriéré[4], dit le Maître clerc.

– Non, c'est un ancien concierge, dit Godeschal.

225 – Parions qu'il est noble, s'écria Boucard.

– Je parie qu'il a été portier, répliqua Godeschal. Les portiers sont seuls doués par la nature de carricks usés, huileux et déchiquetés par le bas comme l'est celui de ce vieux bonhomme ! Vous n'avez donc vu ni ses bottes éculées qui prennent
230 l'eau, ni sa cravate qui lui sert de chemise ? Il a couché sous les ponts.

– Il pourrait être noble et avoir tiré le cordon[5], s'écria Desroches. Ça s'est vu !

– Non, reprit Boucard au milieu des rires, je soutiens qu'il
235 a été brasseur[6] en 1789, et colonel sous la République.

– Ah ! je parie un spectacle pour tout le monde qu'il n'a pas été soldat, dit Godeschal.

– Ça va, répliqua Boucard.

– Monsieur ! monsieur ? cria le petit clerc en ouvrant la
240 fenêtre.

– Que fais-tu Simonnin ? demanda Boucard.

– Je l'appelle pour lui demander s'il est colonel ou portier, il doit le savoir, lui. »

---

1 *Épigramme* : petit poème satirique (ici, ironique).
2 *Déni* (de justice) : refus de rendre la justice.
3 *Crâne* : fou, écervelé.
4 *Arriéré* (de solde) : les officiers de l'armée napoléonienne avaient été mis en demi-solde à la Restauration (☞ p. 113).
5 *Tirer le cordon* : exercer le métier de portier.
6 *Brasseur* : fabricant ou marchand de bière.

Tous les clercs se mirent à rire. Quant au vieillard, il remon-
245 tait déjà l'escalier.

« Qu'allons-nous lui dire ? s'écria Godeschal.

– Laissez-moi faire ! » répondit Boucard.

Le pauvre homme rentra timidement en baissant les yeux,
peut-être pour ne pas révéler sa faim en regardant avec trop
250 d'avidité les comestibles.

« Monsieur, lui dit Boucard, voulez-vous avoir la complai-
sance de nous donner votre nom, afin que le patron sache si...

– Chabert.

– Est-ce le colonel mort à Eylau[1] ? demanda Huré qui
255 n'ayant encore rien dit était jaloux d'ajouter une raillerie à toutes
les autres.

– Lui-même, monsieur, répondit le bonhomme avec une
simplicité antique. Et il se retira.

– Chouit !
260 – Dégommé !

– Puff !

– Oh !

– Ah !

– Bâoun !
265 – Ah ! le vieux drôle !

– Trinn, la, la, trinn, trinn !

– Enfoncé !

– Monsieur Desroches, vous irez au spectacle sans payer »,
dit Huré au quatrième clerc, en lui donnant sur l'épaule une
270 tape à tuer un rhinocéros.

Ce fut un torrent de cris, de rires et d'exclamations, à la
peinture duquel on userait toutes les onomatopées de la langue.

« À quel théâtre irons-nous ?

– À l'Opéra ! s'écria le Principal.
275 – D'abord, reprit Godeschal, le théâtre n'a pas été désigné.

---

1 Dans la plaine d'Eylau (Prusse orientale), Napoléon affronta les Russes
et les Prussiens le 8 février 1807 (☞ p. 111). La bataille fut meurtrière
et la victoire indécise.

Je puis, si je veux, vous mener chez Mme Saqui[1].

— Mme Saqui n'est pas un spectacle, dit Desroches.

— Qu'est-ce qu'un spectacle ? reprit Godeschal. Établissons d'abord le *point de fait*[2]. Qu'ai-je parié, messieurs ? un specta-
280 cle. Qu'est-ce qu'un spectacle ? une chose qu'on voit...

— Mais dans ce système-là, vous vous acquitteriez donc en nous menant voir l'eau couler sous le Pont-Neuf ? s'écria Simonnin en interrompant.

— Qu'on voit pour de l'argent, disait Godeschal en conti-
285 nuant.

— Mais on voit pour de l'argent bien des choses qui ne sont pas un spectacle. La définition n'est pas exacte, dit Desroches.

— Mais, écoutez-moi donc !

— Vous déraisonnez, mon cher, dit Boucard.

290 — Curtius[3] est-il un spectacle ? dit Godeschal.

— Non, répondit le Maître clerc, c'est un cabinet de figures.

— Je parie cent francs contre un sou, reprit Godeschal, que le cabinet de Curtius constitue l'ensemble de choses auquel est dévolu le nom de spectacle. Il comporte une chose à voir à
295 différents prix, suivant les différentes places où l'on veut se mettre.

— Et *berlik berlok*, dit Simonnin.

— Prends garde que je ne te gifle, toi ! » dit Godeschal.

Les clercs haussèrent les épaules.

300 « D'ailleurs, il n'est pas prouvé que ce vieux singe ne se soit pas moqué de nous, dit-il en cessant son argumentation étouffée par le rire des autres clercs. En conscience, le colonel Chabert est bien mort, sa femme est remariée au comte Ferraud, conseiller d'État. Mme Ferraud est une des clientes de l'étude !

305 — La cause est remise à demain, dit Boucard. À l'ouvrage, messieurs ! Sac-à-papier ! l'on ne fait rien ici. Finissez donc votre requête, elle doit être signifiée[4] avant l'audience de la

---

1 *Mme Saqui* (1786-1866) : danseuse et acrobate qui avait ouvert en 1816 à Paris un théâtre de pantomime et de funambules.
2 *Point de fait* : ce qui est indiscutable.
3 *Curtius* : Allemand qui avait ouvert à Paris vers 1770, près du Palais-Royal, un cabinet de figures de cire (☞ l. 399, p. 25).
4 *Signifier* : déclarer par voie juridique.

quatrième Chambre. L'affaire se juge aujourd'hui. Allons, à cheval.

310 – Si c'eût été le colonel Chabert, est-ce qu'il n'aurait pas chaussé le bout de son pied dans le postérieur de ce farceur de Simonnin quand il a fait le sourd ? dit Desroches en regardant cette observation comme plus concluante que celle de Godeschal.

315 – Puisque rien n'est décidé, reprit Boucard, convenons d'aller aux secondes loges des Français[1] voir Talma[2] dans Néron. Simonnin ira au parterre[3]. »

Là-dessus, le Maître clerc s'assit à son bureau, et chacun l'imita.

320 « *Rendue en juin mil huit cent quatorze* (en toutes lettres), dit Godeschal, y êtes-vous ?

– Oui, répondirent les deux copistes et le grossoyeur dont les plumes recommencèrent à crier sur le papier timbré en faisant dans l'étude le bruit de cent hannetons enfermés par des
325 écoliers dans des cornets de papier.

– *Et nous espérons que Messieurs composant le tribunal*, dit l'improvisateur. Halte ! il faut que je relise ma phrase, je ne me comprends plus moi-même.

– Quarante-six... Ça doit arriver souvent !... Et trois, qua-
330 rante-neuf, dit Boucard.

– *Nous espérons*, reprit Godeschal après avoir tout relu, *que Messieurs composant le tribunal ne seront pas moins grands que ne l'est l'auguste auteur de l'ordonnance, et qu'ils feront justice des misérables prétentions de l'administration de la grande chancellerie*
335 *de la Légion d'honneur en fixant la jurisprudence dans le sens large que nous établissons ici...*

– Monsieur Godeschal, voulez-vous un verre d'eau ? dit le petit clerc.

– Ce farceur de Simonnin ! dit Boucard. Tiens, apprête tes

---

1 *Les Français* : le théâtre des Comédiens français (aujourd'hui la Comédie-Française).
2 *Talma* (1763-1826) : célèbre tragédien qu'appréciait particulièrement Napoléon Ier ; il interpréta le rôle de Néron dans *Britannicus* de Racine.
3 *Parterre* : partie d'une salle de spectacle entre l'orchestre et le fond du théâtre ; c'est là que se trouvaient les places les moins chères.

340 chevaux à double semelle[1], prends ce paquet, et valse jusqu'aux
Invalides.

— *Que nous établissons ici*, reprit Godeschal. Ajoutez : *dans
l'intérêt de madame...* (en toutes lettres) *la vicomtesse de
Grandlieu...*

345 — Comment ! s'écria le Maître clerc, vous vous avisez de
faire des requêtes dans l'affaire vicomtesse de Grandlieu contre
Légion d'honneur, une affaire pour compte d'étude, entreprise
à forfait[2] ? Ah ! vous êtes un fier nigaud ! Voulez-vous bien me
mettre de côté vos copies et votre minute[3], gardez-moi cela pour
350 l'affaire Navarreins contre les Hospices. Il est tard, je vais faire
un bout de placet, avec des *attendu*[4], et j'irai moi-même au
Palais... »

Cette scène représente un des mille plaisirs qui, plus tard,
font dire en pensant à la jeunesse : « C'était le bon temps ! »

355 Vers une heure du matin, le prétendu colonel Chabert vint
frapper à la porte de Mᵉ Derville, avoué près le tribunal de
première instance du département de la Seine. Le portier lui
répondit que M. Derville n'était pas rentré. Le vieillard allégua
le rendez-vous et monta chez ce célèbre légiste[5], qui, malgré sa
360 jeunesse, passait pour être une des plus fortes têtes du Palais.
Après avoir sonné, le défiant solliciteur ne fut pas médiocrement
étonné de voir le premier clerc occupé à ranger sur la table de
la salle à manger de son patron les nombreux dossiers des
affaires qui *venaient* le lendemain en ordre utile. Le clerc, non
365 moins étonné, salua le colonel en le priant de s'asseoir : ce que
fit le plaideur.

« Ma foi, monsieur, j'ai cru que vous plaisantiez hier en
m'indiquant une heure si matinale pour une consultation, dit le
vieillard avec la fausse gaieté d'un homme ruiné qui s'efforce
370 de sourire.

— Les clercs plaisantaient et disaient vrai tout ensemble,

---

1 *Apprête tes chevaux à double semelle* : prends tes jambes à ton cou.
2 *À forfait* : en échange d'une somme globale fixée au départ, et non pas
proportionnellement au travail effectué.
3 *Minute* : acte original, par opposition à la grosse, qui est une copie.
4 *Attendu* : arguments motivant un jugement.
5 *Légiste* : homme de loi, avoué.

reprit le Principal en continuant son travail. M. Derville a choisi
cette heure pour examiner ses causes, en résumer les moyens,
en ordonner la conduite, en disposer les *défenses*. Sa prodigieuse
375 intelligence est plus libre en ce moment, le seul où il obtienne
le silence et la tranquillité nécessaires à la conception des bonnes
idées. Vous êtes, depuis qu'il est avoué, le troisième exemple
d'une consultation donnée à cette heure nocturne. Après être
rentré, le patron discutera chaque affaire, lira tout, passera peut-
380 être quatre ou cinq heures à sa besogne ; puis, il me sonnera et
m'expliquera ses intentions. Le matin, de dix heures à deux
heures, il écoute ses clients, puis il emploie le reste de la journée
à ses rendez-vous. Le soir, il va dans le monde pour y entretenir
ses relations. Il n'a donc que la nuit pour creuser ses procès,
385 fouiller les arsenaux du Code[1] et faire ses plans de bataille. Il
ne veut pas perdre une seule cause, il a l'amour de son art. Il
ne se charge pas, comme ses confrères, de toute espèce d'affaire.
Voilà sa vie, qui est singulièrement active. Aussi gagne-t-il beaucoup d'argent. »
390 En entendant cette explication, le vieillard resta silencieux,
et sa bizarre figure prit une expression si dépourvue d'intelligence, que le clerc, après l'avoir regardé, ne s'occupa plus de
lui. Quelques instants après, Derville rentra, mis en costume de
bal ; son Maître clerc lui ouvrit la porte, et se remit à achever
395 le classement des dossiers. Le jeune avoué demeura pendant
un moment stupéfait en entrevoyant dans le clair-obscur le singulier client qui l'attendait. Le colonel Chabert était aussi parfaitement immobile que peut l'être une figure en cire de ce
cabinet de Curtius où Godeschal avait voulu mener ses cama-
400 rades. Cette immobilité n'aurait peut-être pas été un sujet
d'étonnement, si elle n'eût complété le spectacle surnaturel que
présentait l'ensemble du personnage. Le vieux soldat était sec
et maigre. Son front, volontairement caché sous les cheveux de
sa perruque lisse, lui donnait quelque chose de mystérieux. Ses
405 yeux paraissaient couverts d'une taie[2] transparente : vous eus-
siez dit de la nacre sale dont les reflets bleuâtres chatoyaient à

---

1 *Code* : Code civil, institué par Napoléon en 1804 (☞ p. 114).
2 *Taie* : tache opaque qui recouvre partiellement ou complètement l'œil.

la lueur des bougies. Le visage pâle, livide, et en lame de couteau, s'il est permis d'emprunter cette expression vulgaire, semblait mort. Le cou était serré par une mauvaise cravate de soie
410 noire. L'ombre cachait si bien le corps à partir de la ligne brune
que décrivait ce haillon, qu'un homme d'imagination aurait pu
prendre cette vieille tête pour quelque silhouette[1] due au hasard,
ou pour un portrait de Rembrandt, sans cadre. Les bords du
chapeau qui couvrait le front du vieillard projetaient un sillon
415 noir sur le haut du visage. Cet effet bizarre, quoique naturel,
faisait ressortir, par la brusquerie du contraste, les rides blan-
ches, les sinuosités froides, le sentiment décoloré de cette physionomie cadavéreuse. Enfin l'absence de tout mouvement dans
le corps, de toute chaleur dans le regard, s'accordait avec une
420 certaine expression de démence triste, avec les dégradants
symptômes par lesquels se caractérise l'idiotisme, pour faire de
cette figure je ne sais quoi de funeste qu'aucune parole humaine
ne pourrait exprimer. Mais un observateur, et surtout un avoué,
aurait trouvé de plus en cet homme foudroyé les signes d'une
425 douleur profonde, les indices d'une misère qui avait dégradé ce
visage, comme les gouttes d'eau tombées du ciel sur un beau
marbre l'ont à la longue défiguré. Un médecin, un auteur, un
magistrat eussent pressenti tout un drame à l'aspect de cette
sublime horreur dont le moindre mérite était de ressembler à
430 ces fantaisies[2] que les peintres s'amusent à dessiner au bas de
leurs pierres lithographiques en causant avec leurs amis.

En voyant l'avoué, l'inconnu tressaillit par un mouvement
convulsif semblable à celui qui échappe aux poètes quand un
bruit inattendu vient les détourner d'une féconde rêverie, au
435 milieu du silence et de la nuit. Le vieillard se découvrit promptement et se leva pour saluer le jeune homme ; le cuir qui garnissait l'intérieur de son chapeau étant sans doute fort gras, sa
perruque y resta collée sans qu'il s'en aperçût, et laissa voir à
nu son crâne horriblement mutilé par une cicatrice transversale

---

1 *Silhouette* : portrait de profil exécuté d'après l'ombre portée d'un visage ;
on doit ce procédé à Étienne de Silhouette (vers 1750).
2 *Fantaisies* : œuvres d'imagination.

L'inconnu éconduit le matin même, revient à l'étude de Maître Derville de nuit, sur le conseil du Maître clerc. Avant de nous révéler le motif de sa requête, Balzac nous dessine le portrait du personnage.

RÉFLÉCHIR

Société : *Un « singulier client »*

1. Le colonel Chabert a accepté de se présenter à une heure du matin : que révèle cette docilité sur le caractère du personnage et l'urgence de la consultation ?

2. Montrez que tout, dans la présentation des deux personnages, contribue à souligner les différences qui les séparent.

3. Appréciez l'attitude de Derville à l'égard du vieillard.

4. Reconnaît-on, à cette heure tardive, l'étude décrite au début du roman ? Pourquoi le romancier a-t-il choisi cette heure pour situer l'entrevue ?

L'art du récit : *Du portrait à la vision*

5. Étudiez le champ lexical (☞ p. 141) de la vision ; appréciez les différences de point de vue et en particulier les comparaisons avec d'autres modes de description (figures de cire, tableaux, etc.).

6. Comment le portrait est-il construit ? Montrez que Balzac procède à la manière d'un peintre, par touches successives.

7. Relevez les termes qui donnent à la rencontre une tonalité inquiétante, presque fantastique.

8. Montrez que le personnage se transfigure sous le regard de Derville, qui cherche vainement à situer son étrange client.

9. Quel rôle Balzac attribue-t-il ici à Derville ? Quel lien se forme entre l'avoué et le visiteur ?

Stratégies : *Un effet d'attente*

10. Les réactions de l'avoué nous sont-elles connues ? Pourquoi ?

11. Étudiez les deux dernières phrases. Quels termes sont de nature à créer chez le lecteur une certaine impatience ?

440 qui prenait à l'occiput[1] et venait mourir à l'œil droit, en formant partout une grosse couture saillante. L'enlèvement soudain de cette perruque sale, que le pauvre homme portait pour cacher sa blessure, ne donna nulle envie de rire aux deux gens de loi, tant ce crâne fendu était épouvantable à voir. La première pen-
445 sée que suggérait l'aspect de cette blessure était celle-ci : « Par là s'est enfuie l'intelligence ! »

« Si ce n'est pas le colonel Chabert, ce doit être un fier troupier[2] ! pensa Boucard.

— Monsieur, lui dit Derville, à qui ai-je l'honneur de parler ?
450 — Au colonel Chabert.

— Lequel[3] ?

— Celui qui est mort à Eylau », répondit le vieillard.

En entendant cette singulière phrase, le clerc et l'avoué se jetèrent un regard qui signifiait : « C'est un fou ! »
455 « Monsieur, reprit le colonel, je désirerais ne confier qu'à vous seul le secret de ma situation. »

Une chose digne de remarque est l'intrépidité naturelle aux avoués. Soit l'habitude de recevoir un grand nombre de per-sonnes, soit le profond sentiment de la protection que les lois
460 leur accordent, soit confiance en leur ministère[4], ils entrent par-tout sans rien craindre, comme les prêtres et les médecins. Der-ville fit un signe à Boucard, qui disparut.

« Monsieur, reprit l'avoué, pendant le jour je ne suis pas trop avare de mon temps ; mais au milieu de la nuit les minutes
465 me sont précieuses. Ainsi, soyez bref et concis. Allez au fait sans digression. Je vous demanderai moi-même les éclaircisse-ments qui me sembleront nécessaires. Parlez. »

Après avoir fait asseoir son singulier client, le jeune homme s'assit lui-même devant la table ; mais, tout en prêtant son atten-
470 tion au discours du feu colonel, il feuilleta ses dossiers.

« Monsieur, dit le défunt, peut-être savez-vous que je

---

1 *Occiput* : partie postérieure de la tête.
2 *Troupier* : homme de troupe, soldat.
3 Plusieurs soldats de Napoléon, parmi lesquels deux colonels au moins, portaient le nom de Chabert.
4 *Ministère* : fonction, métier.

commandais un régiment de cavalerie à Eylau. J'ai été pour
beaucoup dans le succès de la célèbre charge que fit Murat[1], et
qui décida le gain de la bataille. Malheureusement pour moi,
ma mort est un fait historique consigné dans les *Victoires et
Conquêtes*[2], où elle est rapportée en détail. Nous fendîmes en
deux les trois lignes russes, qui, s'étant aussitôt reformées, nous
obligèrent à les retraverser en sens contraire. Au moment où
nous revenions vers l'Empereur, après avoir dispersé les Russes,
je rencontrai un gros de cavalerie ennemie. Je me précipitai sur
ces entêtés-là. Deux officiers russes, deux vrais géants, m'atta-
quèrent à la fois. L'un d'eux m'appliqua sur la tête un coup de
sabre qui fendit tout jusqu'à un bonnet de soie noire que j'avais
sur la tête, et m'ouvrit profondément le crâne. Je tombai de
cheval. Murat vint à mon secours, il me passa sur le corps, lui
et tout son monde, quinze cents hommes, excusez du peu ! Ma
mort fut annoncée à l'Empereur, qui, par prudence (il m'aimait
un peu, le patron !), voulut savoir s'il n'y aurait pas quelque
chance de sauver l'homme auquel il était redevable de cette
vigoureuse attaque. Il envoya, pour me reconnaître et me rapporter aux ambulances[3], deux chirurgiens en leur disant, peut-
être trop négligemment, car il avait de l'ouvrage : "Allez donc
voir si, par hasard, mon pauvre Chabert vit encore ?" Ces sacrés
carabins[4], qui venaient de me voir foulé aux pieds par les chevaux de deux régiments, se dispensèrent sans doute de me tâter
le pouls et dirent que j'étais bien mort. L'acte de mon décès fut
donc probablement dressé d'après les règles établies par la jurisprudence militaire. »

En entendant son client s'exprimer avec une lucidité parfaite
et raconter des faits si vraisemblables, quoique étranges, le jeune
avoué laissa ses dossiers, posa son coude gauche sur la table,
se mit la tête dans la main, et regarda le colonel fixement.

« Savez-vous, monsieur, lui dit-il en l'interrompant, que je

---

1 *Murat* (1767-1815), maréchal d'Empire, prit part à la bataille d'Eylau.
2 Titre abrégé des *Victoires, conquêtes, revers et guerres civiles des Français de
  1792 à 1815*. Publié de 1817 à 1823, cet ouvrage (29 vol.) relatait les faits
  d'armes des soldats français de la Révolution et de l'Empire.
3 *Ambulances* : hôpital ambulant qui accompagnait les armées.
4 *Carabins* : médecins (péjoratif).

suis l'avoué de la comtesse Ferraud, veuve du colonel Chabert ?

505 — Ma femme ! Oui, monsieur. Aussi, après cent démarches infructueuses chez des gens de loi qui m'ont tous pris pour un fou, me suis-je déterminé à venir vous trouver. Je vous parlerai de mes malheurs plus tard. Laissez-moi d'abord vous établir les faits, vous expliquer plutôt comme ils ont dû se passer, que

510 comme ils sont arrivés. Certaines circonstances, qui ne doivent être connues que du Père éternel, m'obligent à en présenter plusieurs comme des hypothèses. Donc, monsieur, les blessures que j'ai reçues auront probablement produit un tétanos, ou m'auront mis dans une crise analogue à une maladie nommée,

515 je crois, catalepsie[1]. Autrement comment concevoir que j'aie été, suivant l'usage de la guerre, dépouillé de mes vêtements, et jeté dans la fosse aux soldats par les gens chargés d'enterrer les morts ? Ici, permettez-moi de placer un détail que je n'ai pu connaître que postérieurement à l'événement qu'il faut bien

520 appeler ma mort. J'ai rencontré, en 1814, à Stuttgart un ancien maréchal des logis de mon régiment. Ce cher homme, le seul qui ait voulu me reconnaître, et de qui je vous parlerai tout à l'heure, m'expliqua le phénomène de ma conservation, en me disant que mon cheval avait reçu un boulet dans le flanc au

525 moment où je fus blessé moi-même. La bête et le cavalier s'étaient donc abattus comme des capucins de cartes[2]. En me renversant, soit à droite, soit à gauche, j'avais été sans doute couvert par le corps de mon cheval qui m'empêcha d'être écrasé par les chevaux, ou atteint par des boulets. Lorsque je revins à

530 moi, monsieur, j'étais dans une position et dans une atmosphère dont je ne vous donnerais pas une idée en vous entretenant jusqu'à demain. Le peu d'air que je respirais était méphitique[3]. Je voulus me mouvoir, et ne trouvai point d'espace. En ouvrant les yeux, je ne vis rien. La rareté de l'air fut l'accident le plus

535 menaçant, et qui m'éclaira le plus vivement sur ma position. Je

---

1 *Catalepsie* : sorte de coma, caractérisé par la raideur des membres et la perte de conscience.
2 *Capucins de cartes* : morceaux de carton pliés de façon à ressembler à des capuchons de moines. Nous parlons dans le même sens de *châteaux de cartes*.
3 *Méphitique* : puant et toxique.

Officier de chasseurs de la Garde impériale chargeant, 1812, tableau de
Théodore Géricault (1791-1824).

compris que là où j'étais, l'air ne se renouvelait point, et que
j'allais mourir. Cette pensée m'ôta le sentiment de la douleur
inexprimable par laquelle j'avais été réveillé. Mes oreilles tintè-
rent violemment. J'entendis, ou crus entendre, je ne veux rien
540 affirmer, des gémissements poussés par le monde de cadavres
au milieu duquel je gisais. Quoique la mémoire de ces moments
soit bien ténébreuse, quoique mes souvenirs soient bien confus,
malgré les impressions de souffrances encore plus profondes
que je devais éprouver et qui ont brouillé mes idées, il y a des
545 nuits où je crois encore entendre ces soupirs étouffés ! Mais il
y a eu quelque chose de plus horrible que les cris, un silence
que je n'ai jamais retrouvé nulle part, le vrai silence du tombeau.
Enfin, en levant les mains, en tâtant les morts, je reconnus un
vide entre ma tête et le fumier humain supérieur. Je pus donc
550 mesurer l'espace qui m'avait été laissé par un hasard dont la
cause m'était inconnue. Il paraît, grâce à l'insouciance ou à la
précipitation avec laquelle on nous avait jetés pêle-mêle, que
deux morts s'étaient croisés au-dessus de moi de manière à
décrire un angle semblable à celui de deux cartes mises l'une
555 contre l'autre par un enfant qui pose les fondements d'un château. En furetant avec promptitude, car il ne fallait pas flâner,
je rencontrai fort heureusement un bras qui ne tenait à rien, le
bras d'un Hercule ! Un bon os auquel je dus mon salut. Sans
ce secours inespéré, je périssais ! Mais, avec une rage que vous
560 devez concevoir, je me mis à travailler les cadavres qui me
séparaient de la couche de terre sans doute jetée sur nous, je
dis nous, comme s'il y eût eu des vivants ! J'y allais ferme,
monsieur, car me voici ! Mais je ne sais pas aujourd'hui
comment j'ai pu parvenir à percer la couverture de chair qui
565 mettait une barrière entre la vie et moi. Vous me direz que
j'avais trois bras ! Ce levier, dont je me servais avec habileté,
me procurait toujours un peu de l'air qui se trouvait entre les
cadavres que je déplaçais, et je ménageais mes aspirations. Enfin
je vis le jour, mais à travers la neige, monsieur ! En ce moment,
570 je m'aperçus que j'avais la tête ouverte. Par bonheur, mon sang,
celui de mes camarades ou la peau meurtrie de mon cheval
peut-être, que sais-je ! m'avait, en se coagulant, comme enduit
d'un emplâtre naturel. Malgré cette croûte, je m'évanouis quand

RÉFLÉCHIR

Tons : *Revive sa mort*

1. Étudiez le champ lexical de la souffrance et de la mort.

2. Comment la sensation d'étouffement est-elle traduite ? Étudiez notamment la structure des phrases et le rythme (l. 529 à 541).

3. Comment l'émotion encore intacte de Chabert s'exprime-t-elle dans la deuxième moitié du texte (l. 541 à 574) ? Relevez quelques traits d'humour noir. Le colonel cherche-t-il à passer pour un héros ?

Stratégies : *Une volonté de convaincre*

4. La scène décrite par Chabert a-t-elle eu des témoins ? Les événements qu'il raconte sont-ils tous vraisemblables ?

5. Appréciez, dans le récit de Chabert, la place laissée au doute. S'agit-il de précautions oratoires ? Quel est l'effet produit ?

6. Étudiez dans le récit le balancement entre le présent et le passé. Que traduit-il ?

7. Chabert cherche à convaincre Derville. Étudiez les procédés utilisés dans ce but.

8. De quelle façon Derville est-il associé au récit de Chabert ? À quoi voyons-nous l'intérêt qu'il porte à l'histoire ?

Genres : *Réalisme et fantastique*

9. Montrez que certains détails fantastiques, loin d'en affaiblir la valeur, donnent plus de poids au témoignage vécu.

10. Chabert cherche-t-il à magnifier son exploit ? À quoi le voyons-nous ? À quelles qualités et aussi à quels heureux hasards doit-il son salut ?

11. Comment est exprimée visuellement la bravoure et la gloire dans le tableau de la page 31 ? En quoi Chabert ressemble-t-il à cet officier de la Garde impériale ? En quoi s'en distingue-t-il ?

12. Étudiez en particulier l'image de cette « *couverture de chair qui mettait une barrière entre la vie et moi* » (l. 564). Comment peut-on interpréter cette re-naissance (☞ p. 128) ?

mon crâne fut en contact avec la neige. Cependant, le peu de
575 chaleur qui me restait ayant fait fondre la neige autour de moi,
je me trouvai, quand je repris connaissance, au centre d'une
petite ouverture par laquelle je criai aussi longtemps que je le
pus. Mais alors le soleil se levait, j'avais donc bien peu de
chances pour être entendu. Y avait-il déjà du monde aux
580 champs ? Je me haussais en faisant de mes pieds un ressort dont
le point d'appui était sur les défunts qui avaient les reins solides.
Vous sentez que ce n'était pas le moment de leur dire : *Respect
au courage malheureux*[1] ! Bref, monsieur, après avoir eu la douleur, si le mot peut rendre ma rage, de voir pendant longtemps,
585 oh ! oui, longtemps ! ces sacrés Allemands se sauvant en entendant une voix là où ils n'apercevaient point d'homme, je fus
enfin dégagé par une femme assez hardie ou assez curieuse pour
s'approcher de ma tête qui semblait avoir poussé hors de terre
comme un champignon. Cette femme alla chercher son mari,
590 et tous deux me transportèrent dans leur pauvre baraque. Il
paraît que j'eus une rechute de catalepsie, passez-moi cette
expression pour vous peindre un état duquel je n'ai nulle idée,
mais que j'ai jugé, sur les dires de mes hôtes, devoir être un
effet de cette maladie. Je suis resté pendant six mois entre la vie
595 et la mort, ne parlant pas, ou déraisonnant quand je parlais.
Enfin mes hôtes me firent admettre à l'hôpital d'Heilsberg[2].
Vous comprenez, monsieur, que j'étais sorti du ventre de la
fosse aussi nu que de celui de ma mère ; en sorte que, six mois
après, quand, un beau matin, je me souvins d'avoir été le colonel
600 Chabert, et qu'en recouvrant ma raison je voulus obtenir de ma
garde plus de respect qu'elle n'en accordait à un pauvre diable,
tous mes camarades de chambrée se mirent à rire. Heureusement pour moi, le chirurgien avait répondu, par amour-propre,
de ma guérison, et s'était naturellement intéressé à son malade.
605 Lorsque je lui parlai d'une manière suivie de mon ancienne
existence, ce brave homme, nommé Sparchmann, fit constater,
dans les formes juridiques voulues par le droit du pays, la

---

1 « *Respect au courage malheureux* » : phrase célèbre, prononcée par Napoléon.
2 *Heilsberg* : ville de Prusse orientale, proche d'Eylau.

manière miraculeuse dont j'étais sorti de la fosse des morts, le jour et l'heure où j'avais été trouvé par ma bienfaitrice et par
610 son mari ; le genre, la position exacte de mes blessures, en joignant à ces différents procès-verbaux une description de ma personne. Eh bien, monsieur, je n'ai ni ces pièces importantes, ni la déclaration que j'ai faite chez un notaire d'Heilsberg, en vue d'établir mon identité ! Depuis le jour où je fus chassé de
615 cette ville par les événements de la guerre, j'ai constamment erré comme un vagabond, mendiant mon pain, traité de fou lorsque je racontais mon aventure, et sans avoir ni trouvé, ni gagné un sou pour me procurer les actes qui pouvaient prouver mes dires, et me rendre à la vie sociale. Souvent, mes douleurs
620 me retenaient durant des semestres entiers dans de petites villes où l'on prodiguait des soins au Français malade, mais où l'on riait au nez de cet homme dès qu'il prétendait être le colonel Chabert. Pendant longtemps ces rires, ces doutes me mettaient dans une fureur qui me nuisit et me fit même enfermer comme
625 fou à Stuttgart. À la vérité, vous pouvez juger, d'après mon récit, qu'il y avait des raisons suffisantes pour faire coffrer un homme ! Après deux ans de détention que je fus obligé de subir, après avoir entendu mille fois mes gardiens disant : "Voilà un pauvre homme qui croit être le colonel Chabert !" à des gens
630 qui répondaient : "Le pauvre homme !" je fus convaincu de l'impossibilité de ma propre aventure, je devins triste, résigné, tranquille, et renonçai à me dire le colonel Chabert, afin de pouvoir sortir de prison et revoir la France. Oh ! monsieur, revoir Paris ! c'était un délire que je ne... »
635 À cette phrase inachevée, le colonel Chabert tomba dans une rêverie profonde que Derville respecta.

« Monsieur, un beau jour, reprit le client, un jour de printemps, on me donna la clef des champs et dix thalers[1], sous prétexte que je parlais très sensément sur toutes sortes de sujets
640 et que je ne me disais plus le colonel Chabert. Ma foi, vers cette époque, et encore aujourd'hui, par moments, mon nom m'est désagréable. Je voudrais n'être pas moi. Le sentiment de mes

---

1 *Thaler* : monnaie allemande.

droits me tue. Si ma maladie m'avait ôté tout souvenir de mon existence passée, j'aurais été heureux ! J'eusse repris du service
645 sous un nom quelconque, et qui sait ? je serais peut-être devenu feld-maréchal[1] en Autriche ou en Russie.

– Monsieur, dit l'avoué, vous brouillez toutes mes idées. Je crois rêver en vous écoutant. De grâce, arrêtons-nous pendant un moment.

650 – Vous êtes, dit le colonel d'un air mélancolique, la seule personne qui m'ait si patiemment écouté. Aucun homme de loi n'a voulu m'avancer dix napoléons afin de faire venir d'Allemagne les pièces nécessaires pour commencer mon procès...

– Quel procès ? dit l'avoué, qui oubliait la situation doulou-
655 reuse de son client en entendant le récit de ses misères passées.

– Mais, monsieur, la comtesse Ferraud n'est-elle pas ma femme ! Elle possède trente mille livres de rente qui m'appartiennent, et ne veut pas me donner deux liards[2]. Quand je dis ces choses à des avoués, à des hommes de bon sens ; quand je
660 propose, moi, mendiant, de plaider contre un comte et une comtesse ; quand je m'élève, moi, mort, contre un acte de décès, un acte de mariage et des actes de naissance, ils m'éconduisent, suivant leur caractère, soit avec cet air froidement poli que vous savez prendre pour vous débarrasser d'un malheureux, soit bru-
665 talement, en gens qui croient rencontrer un intrigant ou un fou. J'ai été enterré sous des morts, mais maintenant je suis enterré sous des vivants, sous des actes, sous des faits, sous la société tout entière, qui veut me faire rentrer sous terre !

– Monsieur, veuillez poursuivre maintenant, dit l'avoué.

670 – *Veuillez*, s'écria le malheureux vieillard en prenant la main du jeune homme, voilà le premier mot de politesse que j'entends depuis... »

Le colonel pleura. La reconnaissance étouffa sa voix. Cette pénétrante et indicible éloquence qui est dans le regard, dans
675 le geste, dans le silence même, acheva de convaincre Derville et le toucha vivement.

« Écoutez, monsieur, dit-il à son client, j'ai gagné ce soir

---

1 *Feld-maréchal* : maréchal, dans l'armée allemande.
2 Le *liard* est une petite monnaie de cuivre qui vaut un quart de sou.

trois cents francs au jeu ; je puis bien employer la moitié de
cette somme à faire le bonheur d'un homme. Je commencerai
680 les poursuites et diligences nécessaires pour vous procurer les
pièces dont vous me parlez, et jusqu'à leur arrivée je vous remet-
trai cent sous par jour. Si vous êtes le colonel Chabert, vous
saurez pardonner la modicité du prêt à un jeune homme qui a
sa fortune à faire. Poursuivez. »

685   Le prétendu colonel resta pendant un moment immobile et
stupéfait : son extrême malheur avait sans doute détruit ses
croyances. S'il courait après son illustration militaire, après sa
fortune, après lui-même, peut-être était-ce pour obéir à ce sentiment inexplicable, en germe dans le cœur de tous les hommes,
690 et auquel nous devons les recherches des alchimistes, la passion
de la gloire, les découvertes de l'astronomie, de la physique,
tout ce qui pousse l'homme à se grandir en se multipliant par
les faits ou par les idées. L'*ego*[1], dans sa pensée, n'était plus
qu'un objet secondaire, de même que la vanité du triomphe ou
695 le plaisir du gain deviennent plus chers au parieur que ne l'est
l'objet du pari. Les paroles du jeune avoué furent donc comme
un miracle pour cet homme rebuté pendant dix années par sa
femme, par la justice, par la création sociale entière. Trouver
chez un avoué ces dix pièces d'or qui lui avaient été refusées
700 pendant si longtemps, par tant de personnes et de tant de manières ! Le colonel ressemblait à cette dame qui, ayant eu la fièvre
durant quinze années, crut avoir changé de maladie le jour où
elle fut guérie. Il est des félicités[2] auxquelles on ne croit plus ;
elles arrivent, c'est la foudre, elles consument. Aussi la recon-
705 naissance du pauvre homme était-elle trop vive pour qu'il pût
l'exprimer. Il eût paru froid aux gens superficiels, mais Derville
devina toute une probité dans cette stupeur. Un fripon aurait
eu de la voix.

    « Où en étais-je ? dit le colonel avec la naïveté d'un enfant
710 ou d'un soldat, car il y a souvent de l'enfant dans le vrai soldat,
et presque toujours du soldat chez l'enfant, surtout en France.

    – À Stuttgart. Vous sortiez de prison, répondit l'avoué.

---

1 *L'ego* : le sentiment de soi-même.
2 *Félicités* : bonheurs.

– Vous connaissez ma femme ? demanda le colonel.

– Oui, répliqua Derville en inclinant la tête.

715 – Comment est-elle ?

– Toujours ravissante. »

Le vieillard fit un signe de la main, et parut dévorer quelque secrète douleur avec cette résignation grave et solennelle qui caractérise les hommes éprouvés dans le sang et le feu des
720 champs de bataille.

« Monsieur », dit-il avec une sorte de gaieté ; car il respirait, ce pauvre colonel, il sortait une seconde fois de la tombe, il venait de fondre une couche de neige moins soluble que celle qui jadis lui avait glacé la tête, et il aspirait l'air comme s'il
725 quittait un cachot. « Monsieur, dit-il, si j'avais été joli garçon, aucun de mes malheurs ne me serait arrivé. Les femmes croient les gens quand ils farcissent leurs phrases du mot amour. Alors elles trottent, elles vont, elles se mettent en quatre, elles intriguent, elles affirment les faits, elles font le diable[1] pour celui qui
730 leur plaît. Comment aurais-je pu intéresser une femme ? J'avais une face de *requiem*[2], j'étais vêtu comme un sans-culotte[3], je ressemblais plutôt à un Esquimau qu'à un Français, moi qui jadis passais pour le plus joli des muscadins[4], en 1799 ! Moi, Chabert, comte de l'Empire ! Enfin, le jour même où l'on me
735 jeta sur le pavé comme un chien, je rencontrai le maréchal des logis de qui je vous ai déjà parlé. Le camarade se nommait Boutin. Le pauvre diable et moi faisions la plus belle paire de rosses que j'aie jamais vue ; je l'aperçus à la promenade, si je le reconnus, il lui fut impossible de deviner qui j'étais. Nous
740 allâmes ensemble dans un cabaret. Là, quand je me nommai, la bouche de Boutin se fendit en éclats de rire comme un mortier[5] qui crève. Cette gaieté, monsieur, me causa l'un de mes

---

1 *Faire le diable* : faire beaucoup de bruit.

2 *Requiem* : messe des morts. « *Une face de requiem* » signifie ici un visage de mort vivant.

3 Nom donné en 1789 aux gens du peuple, qui portaient le pantalon, à la différence des nobles, en « culotte ».

4 *Muscadins* : jeunes gens à la mode sous le Directoire : c'est l'époque des « Incroyables » et des « Merveilleuses ».

5 *Mortier* : pièce d'artillerie.

plus vifs chagrins ! Elle me révélait sans fard tous les changements qui étaient survenus en moi ! J'étais donc méconnaissa-
745 ble, même pour l'œil du plus humble et du plus reconnaissant
de mes amis ! jadis j'avais sauvé la vie à Boutin, mais c'était une
revanche que je lui devais. Je ne vous dirai pas comment il me
rendit ce service. La scène eut lieu en Italie, à Ravenne. La
maison où Boutin m'empêcha d'être poignardé n'était pas une
750 maison fort décente[1]. À cette époque je n'étais pas colonel,
j'étais simple cavalier, comme Boutin. Heureusement cette histoire comportait des détails qui ne pouvaient être connus que
de nous seuls ; et, quand je les lui rappelai, son incrédulité
diminua. Puis je lui contai les accidents de ma bizarre existence.
755 Quoique mes yeux, ma voix fussent, me dit-il, singulièrement
altérés, que je n'eusse plus ni cheveux, ni dents, ni sourcils, que
je fusse blanc comme un Albinos, il finit par retrouver son
colonel dans le mendiant, après mille interrogations auxquelles
je répondis victorieusement. Il me raconta ses aventures, elles
760 n'étaient pas moins extraordinaires que les miennes : il revenait
des confins de la Chine, où il avait voulu pénétrer après s'être
échappé de la Sibérie. Il m'apprit les désastres de la campagne
de Russie et la première abdication de Napoléon[2]. Cette nouvelle est une des choses qui m'ont fait le plus de mal ! Nous
765 étions deux débris curieux après avoir ainsi roulé sur le globe
comme roulent dans l'Océan les cailloux emportés d'un rivage
à l'autre par les tempêtes. À nous deux nous avions vu l'Égypte,
la Syrie, l'Espagne, la Russie, la Hollande, l'Allemagne, l'Italie,
la Dalmatie, l'Angleterre, la Chine, la Tartarie, la Sibérie ; il ne
770 nous manquait que d'être allés dans les Indes et en Amérique !
Enfin, plus ingambe[3] que je ne l'étais, Boutin se chargea d'aller
à Paris le plus lestement possible afin d'instruire ma femme de
l'état dans lequel je me trouvais. J'écrivis à Mme Chabert une
lettre bien détaillée. C'était la quatrième, monsieur ! si j'avais
775 eu des parents, tout cela ne serait peut-être pas arrivé ; mais, il

---

1 Il s'agit d'une maison de prostitution.
2 Napoléon a abdiqué deux fois : en 1814 et en 1815 (☞ p. 112).
3 *Ingambe* : dispos, valide.

faut vous l'avouer, je suis un enfant d'hôpital[1], un soldat qui pour patrimoine avait son courage, pour famille tout le monde, pour patrie la France, pour tout protecteur le bon Dieu. Je me trompe ! j'avais un père, l'Empereur ! Ah ! s'il était debout, le cher homme ! et qu'il vît *son Chabert*, comme il me nommait, dans l'état où je suis, mais il se mettrait en colère. Que voulez-vous ! notre soleil s'est couché, nous avons tous froid maintenant[2]. Après tout, les événements politiques pouvaient justifier le silence de ma femme ! Boutin partit. Il était bien heureux, lui ! Il avait deux ours blancs supérieurement dressés qui le faisaient vivre. Je ne pouvais l'accompagner ; mes douleurs ne me permettaient pas de faire de longues étapes. Je pleurai, monsieur, quand nous nous séparâmes, après avoir marché aussi longtemps que mon état put me le permettre en compagnie de ses ours et de lui. À Carlsruhe j'eus un accès de névralgie à la tête, et restai six semaines sur la paille dans une auberge ! Je ne finirais pas, monsieur, s'il fallait vous raconter tous les malheurs de ma vie de mendiant. Les souffrances morales, auprès desquelles pâlissent les douleurs physiques, excitent cependant moins de pitié, parce qu'on ne les voit point. Je me souviens d'avoir pleuré devant un hôtel de Strasbourg où j'avais donné jadis une fête, et où je n'obtins rien, pas même un morceau de pain. Ayant déterminé de concert[3] avec Boutin l'itinéraire que je devais suivre, j'allais à chaque bureau de poste demander s'il y avait une lettre et de l'argent pour moi. Je vins jusqu'à Paris sans avoir rien trouvé. Combien de désespoirs ne m'a-t-il pas fallu dévorer ! "Boutin sera mort", me disais-je. En effet, le pauvre diable avait succombé à Waterloo[4]. J'appris sa mort plus tard et par hasard. Sa mission auprès de ma femme fut sans doute infructueuse. Enfin j'entrai dans Paris en même temps

---

1 Les enfants abandonnés étaient confiés à l'hôpital (nous dirions l'Assistance publique).

2 Napoléon était alors exilé à Sainte-Hélène.

3 *De concert avec* : en accord avec.

4 La bataille de Waterloo (le 18 juin 1815) marque l'échec définitif de Napoléon.

Bivouac de Cosaques aux Champs-Élysées, 31 mai 1814, détail du tableau d'Alexandre Sauerweid (1783-1844).

que les Cosaques[1]. Pour moi c'était douleur sur douleur. En voyant les Russes en France, je ne pensais plus que je n'avais ni souliers aux pieds ni argent dans ma poche. Oui, monsieur, mes vêtements étaient en lambeaux. La veille de mon arrivée 810 je fus forcé de bivouaquer dans les bois de Claye[2]. La fraîcheur de la nuit me causa sans doute un accès de je ne sais quelle maladie, qui me prit quand je traversai le faubourg Saint-Martin. Je tombai presque évanoui à la porte d'un marchand de fer. Quand je me réveillai j'étais dans un lit à l'Hôtel-Dieu. Là je 815 restai pendant un mois assez heureux. Je fus bientôt renvoyé. J'étais sans argent, mais bien portant et sur le bon pavé de Paris. Avec quelle joie et quelle promptitude j'allai rue du Mont-Blanc, où ma femme devait être logée dans un hôtel à moi ! Bah ! la rue du Mont-Blanc était devenue la rue de la Chaussée d'Antin. 820 Je n'y vis plus mon hôtel, il avait été vendu, démoli. Des spéculateurs avaient bâti plusieurs maisons dans mes jardins. Ignorant que ma femme fût mariée à monsieur Ferraud, je ne pouvais obtenir aucun renseignement. Enfin je me rendis chez un vieil avocat qui jadis était chargé de mes affaires. Le bon-825 homme était mort après avoir cédé sa clientèle à un jeune homme. Celui-ci m'apprit, à mon grand étonnement, l'ouverture de ma succession, sa liquidation[3], le mariage de ma femme et la naissance de ses deux enfants. Quand je lui dis être le colonel Chabert, il se mit à rire si franchement que je le quittai 830 sans lui faire la moindre observation. Ma détention de Stuttgart me fit songer à Charenton[4], et je résolus d'agir avec prudence. Alors, monsieur, sachant où demeurait ma femme, je m'acheminai vers son hôtel, le cœur plein d'espoir. Eh bien, dit le colonel avec un mouvement de rage concentrée, je n'ai pas été 835 reçu lorsque je me fis annoncer sous un nom d'emprunt, et le jour où je pris le mien je fus consigné[5] à sa porte. Pour voir la

---

1 *Cosaques* : cavaliers de l'armée russe. La France est envahie par les armées du tsar au début de 1814 ; Paris se rend le 31 mars.
2 Bois situé près de Paris.
3 *Liquidation* : règlement.
4 *Charenton* : célèbre prison, qui servait aussi d'asile d'aliénés.
5 *Consigné* : retenu. L'ordre avait été donné aux domestiques de ne pas le laisser entrer.

comtesse rentrant du bal ou du spectacle, au matin, je suis resté pendant des nuits entières collé contre la borne de sa porte cochère. Mon regard plongeait dans cette voiture qui passait devant mes yeux avec la rapidité de l'éclair, et où j'entrevoyais à peine cette femme qui est mienne et qui n'est plus à moi ! Oh ! dès ce jour j'ai vécu pour la vengeance, s'écria le vieillard d'une voix sourde en se dressant tout à coup devant Derville. Elle sait que j'existe ; elle a reçu de moi, depuis mon retour, deux lettres écrites par moi-même. Elle ne m'aime plus ! Moi, j'ignore si je l'aime ou si je la déteste ! je la désire et la maudis tour à tour. Elle me doit sa fortune, son bonheur ; eh bien, elle ne m'a pas seulement fait parvenir le plus léger secours ! Par moments je ne sais plus que devenir ! »

À ces mots, le vieux soldat retomba sur sa chaise, et redevint immobile. Derville resta silencieux, occupé à contempler son client.

« L'affaire est grave, dit-il enfin machinalement. Même en admettant l'authenticité des pièces qui doivent se trouver à Heilsberg, il ne m'est pas prouvé que nous puissions triompher tout d'abord. Le procès ira successivement devant trois tribunaux. Il faut réfléchir à tête reposée sur une semblable cause, elle est tout exceptionnelle.

— Oh ! répondit froidement le colonel en relevant la tête par un mouvement de fierté, si je succombe, je saurai mourir, mais en compagnie. »

Là, le vieillard avait disparu. Les yeux de l'homme énergique brillaient rallumés aux feux du désir et de la vengeance.

« Il faudra peut-être transiger, dit l'avoué.

— Transiger, répéta le colonel Chabert. Suis-je mort ou suis-je vivant ?

— Monsieur, reprit l'avoué, vous suivrez, je l'espère, mes conseils. Votre cause sera ma cause. Vous vous apercevrez bientôt de l'intérêt que je prends à votre situation, presque sans exemple dans les fastes judiciaires[1]. En attendant, je vais vous donner un mot pour mon notaire, qui vous remettra, sur votre

---

1 *Fastes judiciaires* : registres dans lesquels sont consignés les événements marquants de l'histoire de la justice.

Après avoir surmonté les pires épreuves, sans nouvelles de sa femme à qui il a fait porter plusieurs lettres, le colonel Chabert, dans un état de dénuement extrême, arrive à Paris au printemps 1814 : c'est pour trouver la ville assiégée par les Cosaques.

RÉFLÉCHIR

L'art du récit : *Un étranger à la découverte de son propre pays*

1. Que représente Paris pour Chabert ? Comment s'expriment ses espérances ? ses déceptions ?

2. Qu'est-ce qui pousse Chabert à se battre pour être reconnu ? Montrez que l'invasion de la France annihile pour un temps sa volonté.

3. L'arrivée des Cosaques dans la capitale provoqua la curiosité des Parisiens beaucoup plus que la peur. Montrez tout le pittoresque qu'exprime la gravure de la page 41 et en quoi le bivouac des Russes est, pour les Parisiens, un véritable spectacle.

4. Analysez la répartition entre récit et discours. Quelle est la modalité (☞ p. 142) dominante à la fin de l'extrait ? Quel est l'effet produit ?

Thèmes : *Chabert et sa femme*

5. Énumérez les obstacles que Chabert rencontre dans sa ville, dans sa rue, à son domicile, auprès de sa femme. À quel moment du récit peut-on affirmer qu'il a été reconnu ?

6. Relevez tous les termes traduisant les sentiments de Chabert. Ces sentiments sont-ils constants ou varient-ils selon les circonstances ? Qu'en concluez-vous ?

7. Comment la comtesse Ferraud apparaît-elle dans le récit ? Comment Chabert la décrit-il et la nomme-t-il ? Quelle est la nature de ses griefs ?

8. Relevez et commentez les oppositions et les antithèses à la fin du passage (l. 842 à 849).

Tons : *Un plaidoyer*

9. Chabert cherche à convaincre Derville : montrez qu'il le fait avec probité et sans vaine éloquence.

10. À quoi voyons-nous que l'avoué est sensible à l'émotion de son client ?

11. Quelles sont les revendications du colonel ? Derville paraît-il susceptible de les satisfaire ? Dans quelle mesure ?

quittance, cinquante francs tous les dix jours. Il ne serait pas convenable que vous vinssiez chercher ici des secours. Si vous êtes le colonel Chabert, vous ne devez être à la merci de personne. Je donnerai à ces avances la forme d'un prêt. Vous avez des biens à recouvrer, vous êtes riche. »

Cette dernière délicatesse arracha des larmes au vieillard. Derville se leva brusquement, car il n'était peut-être pas de costume[1] qu'un avoué parût s'émouvoir ; il passa dans son cabinet, d'où il revint avec une lettre non cachetée qu'il remit au comte Chabert. Lorsque le pauvre homme la tint entre ses doigts, il sentit deux pièces d'or à travers le papier.

« Voulez-vous me désigner les actes, me donner le nom de la ville, du royaume ? » dit l'avoué.

Le colonel dicta les renseignements en vérifiant l'orthographe des noms de lieux ; puis, il prit son chapeau d'une main, regarda Derville, lui tendit l'autre main, une main calleuse, et lui dit d'une voix simple : « Ma foi, monsieur, après l'Empereur, vous êtes l'homme auquel je devrai le plus ! Vous êtes *un brave.* »

L'avoué frappa dans la main du colonel, le reconduisit jusque sur l'escalier et l'éclaira.

« Boucard, dit Derville à son Maître clerc, je viens d'entendre une histoire qui me coûtera peut-être vingt-cinq louis. Si je suis volé, je ne regretterai pas mon argent, j'aurai vu le plus habile comédien de notre époque. »

Quand le colonel se trouva dans la rue et devant un réverbère, il retira de la lettre les deux pièces de vingt francs que l'avoué lui avait données, et les regarda pendant un moment à la lumière. Il revoyait de l'or pour la première fois depuis neuf ans.

« Je vais donc pouvoir fumer des cigares », se dit-il.

---

1 *De costume* (italianisme) : habituel, décent.

Ici s'arrête, dans l'édition de 1835, le premier chapitre du roman, *Une étude d'avoué*. Il se subdivisait lui-même en deux chapitres dans l'édition de 1832 : *Une étude d'avoué* (p. 10 à 31) et *La Résurrection* (p. 31 à 45).

Les deux étapes du récit

1. En quoi les deux chapitres qui composaient initialement cette première partie s'opposent-ils ? Vous comparerez notamment les personnages en présence, la tonalité des scènes, le rythme du récit.

2. Pourquoi Balzac a-t-il choisi de présenter d'abord Chabert aux prises avec les clercs ? Cette présentation vous paraît-elle habile ?

3. L'atmosphère de l'étude de Maître Derville est très différente le jour et la nuit, en présence ou en l'absence de l'avoué. Quelles remarques vous inspire le rapprochement entre les deux scènes ?

La rencontre de deux êtres d'exception

4. Quels sont les personnages qui dominent cette partie du récit ? Faites le portrait moral de chacun d'entre eux ; notez les traits de caractère qu'ils ont en commun et ce qui les sépare.

5. Quelles relations s'établissent entre Derville et Chabert ? Montrez qu'il se crée d'emblée entre eux un climat de confiance et de respect mutuel.

6. Derville est plus jeune que Chabert. Pourquoi peut-on dire cependant qu'il joue auprès du colonel le rôle d'un père ?

7. Quel contrat Derville passe-t-il avec Chabert ? Sur quoi ce contrat repose-t-il ?

◤ Une forte stature

8. Chabert reste marqué par la mort. L'élan vital ne demeure-t-il pas cependant intact en lui ?

9. Appréciez la longue évocation des efforts de Chabert pour sauver sa vie : y voyez-vous un manque de goût ? En quoi cette évocation assez morbide vous semble-t-elle correspondre à l'esthétique romantique ? Qu'est-ce qui donne à penser que le blessé a souvent ressassé en lui-même ou devant des témoins les scènes qui l'ont si fortement marqué ?

10. Les épreuves de Chabert lui ont donné une apparente insensibilité qui explique son indifférence devant les plaisanteries dont il est l'objet. À quoi voyons-nous cependant qu'il reste vulnérable ? Sur quels points refuse-t-il toute concession ?

11. En quoi la destinée du colonel est-elle représentative d'une société en pleine mutation ?

12. Chabert condamne-t-il la société qui refuse de le reconnaître ? Pour quelles raisons se montre-t-il si acharné à faire valoir ses droits auprès de sa femme ?

Chapitre II
La transaction

Environ trois mois après cette consultation nuitamment faite par le colonel Chabert chez Derville, le notaire chargé de payer la demi-solde que l'avoué faisait à son singulier client vint le voir pour conférer sur une affaire grave, et commença par lui réclamer six cents francs donnés au vieux militaire.

« Tu t'amuses donc à entretenir l'ancienne armée ? lui dit en riant ce notaire nommé Crottat, jeune homme qui venait d'acheter l'étude où il était Maître clerc, et dont le patron venait de prendre la fuite en faisant une épouvantable faillite[1].

– Je te remercie, mon cher maître, répondit Derville, de me rappeler cette affaire-là. Ma philanthropie n'ira pas au-delà de vingt-cinq louis, je crains déjà d'avoir été la dupe de mon patriotisme. »

Au moment où Derville achevait sa phrase, il vit sur son bureau les paquets que son Maître clerc y avait mis. Ses yeux furent frappés à l'aspect des timbres oblongs[2], carrés, triangulaires, rouges, bleus, apposés sur une lettre par les postes prussienne, autrichienne, bavaroise et française.

« Ah ! dit-il en riant, voici le dénouement de la comédie, nous allons voir si je suis attrapé. » Il prit la lettre et l'ouvrit, mais il n'y put rien lire, elle était écrite en allemand. « Boucard, allez vous-même faire traduire cette lettre, et revenez promptement », dit Derville en entrouvrant la porte de son cabinet et tendant la lettre à son Maître clerc.

Le notaire de Berlin auquel s'était adressé l'avoué lui annonçait que les actes dont les expéditions étaient demandées lui

---

1 La faillite frauduleuse de Roguin est racontée notamment dans *Histoire de la grandeur et de la décadence de César Birotteau* (1837).
2 *Oblongs* : de forme allongée.

parviendraient quelques jours après cette lettre d'avis. Les pièces étaient, disait-il, parfaitement en règle, et revêtues des légalisations nécessaires pour faire foi en justice. En outre, il lui
30 mandait[1] que presque tous les témoins des faits consacrés par les procès-verbaux existaient à Prussich-Eylau ; et que la femme à laquelle monsieur le comte Chabert devait la vie vivait encore dans un des faubourgs d'Heilsberg.

« Ceci devient sérieux », s'écria Derville quand Boucard eut
35 fini de lui donner la substance de la lettre. « Mais, dis donc, mon petit, reprit-il en s'adressant au notaire, je vais avoir besoin de renseignements qui doivent être en ton étude. N'est-ce pas chez ce vieux fripon de Roguin...

— Nous disons l'infortuné, le malheureux Roguin, reprit
40 Me Alexandre Crottat en riant et interrompant Derville.

— N'est-ce pas chez cet infortuné qui vient d'emporter huit cent mille francs à ses clients et de réduire plusieurs familles au désespoir, que s'est faite la liquidation de la succession Chabert ? Il me semble que j'ai vu cela dans nos pièces Ferraud.

45 — Oui, répondit Crottat, j'étais alors troisième clerc, je l'ai copiée et bien étudiée, cette liquidation. Rose Chapotel, épouse et veuve de Hyacinthe, dit Chabert, comte de l'Empire, grand-officier de la Légion d'honneur ; ils s'étaient mariés sans contrat, ils étaient donc communs en biens. Autant que je puis m'en
50 souvenir, l'actif s'élevait à six cent mille francs. Avant son mariage, le comte Chabert avait fait un testament en faveur des hospices de Paris, par lequel il leur attribuait le quart de la fortune qu'il posséderait au moment de son décès, le domaine héritait de l'autre quart. Il y a eu licitation[2], vente et partage,
55 parce que les avoués sont allés bon train. Lors de la liquidation, le monstre[3] qui gouvernait alors la France a rendu par un décret la portion du fisc à la veuve du colonel.

— Ainsi la fortune personnelle du comte Chabert ne se monterait donc qu'à trois cent mille francs.

60 — Par conséquent, mon vieux ! répondit Crottat. Vous avez

---

1 *Il lui mandait* : il l'informait que.
2 *Licitation* : vente aux enchères.
3 C'est ainsi que les royalistes désignaient Napoléon.

parfois l'esprit juste, vous autres avoués, quoiqu'on vous accuse
de vous le fausser en plaidant aussi bien le Pour que le Contre. »

Le comte Chabert, dont l'adresse se lisait au bas de la première quittance que lui avait remise le notaire, demeurait dans
65 le faubourg Saint-Marceau, rue du Petit-Banquier, chez un
vieux maréchal des logis de la garde impériale, devenu nourrisseur[1], et nommé Vergniaud. Arrivé là, Derville fut forcé d'aller
à pied à la recherche de son client ; car son cocher refusa de
s'engager dans une rue non pavée et dont les ornières étaient
70 un peu trop profondes pour les roues d'un cabriolet. En regardant de tous les côtés, l'avoué finit par trouver, dans la partie
de cette rue qui avoisine le boulevard, entre deux murs bâtis
avec des ossements et de la terre, deux mauvais pilastres[2] en
moellons, que le passage des voitures avait ébréchés, malgré
75 deux morceaux de bois placés en forme de bornes. Ces pilastres
soutenaient une poutre couverte d'un chaperon en tuiles, sur
laquelle ces mots étaient écrits en rouge : VERGNIAUD, NOURI-
CEURE. À droite de ce nom, se voyaient des œufs, et à gauche
une vache, le tout peint en blanc. La porte était ouverte et restait
80 sans doute ainsi pendant toute la journée. Au fond d'une cour
assez spacieuse, s'élevait, en face de la porte, une maison, si
toutefois ce nom convient à l'une de ces masures bâties dans
les faubourgs de Paris, et qui ne sont comparables à rien, pas
même aux plus chétives habitations de la campagne, dont elles
85 ont la misère sans en avoir la poésie. En effet, au milieu des
champs, les cabanes ont encore une grâce que leur donnent la
pureté de l'air, la verdure, l'aspect des champs, une colline, un
chemin tortueux, des vignes, une haie vive, la mousse des chau-
mes, et les ustensiles champêtres ; mais à Paris la misère ne se
90 grandit que par son horreur. Quoique récemment construite,
cette maison semblait près de tomber en ruine. Aucun des maté-
riaux n'y avait eu sa vraie destination, ils provenaient tous des
démolitions qui se font journellement dans Paris. Derville lut

---

1 *Nourrisseur* : « Celui qui, à Paris et dans les autres grandes villes nourrit
des vaches dans l'étable pour faire commerce de leur lait » (Littré).
2 *Pilastres* : piliers plats marquant l'entrée de la cour ; les constructions en
moellons sont de qualité médiocre (par opposition à la pierre de taille).

sur un volet fait avec les planches d'une enseigne : *Magasin de*
95 *nouveautés*. Les fenêtres ne se ressemblaient point entre elles et
se trouvaient bizarrement placées. Le rez-de-chaussée, qui
paraissait être la partie habitable, était exhaussé[1] d'un côté,
tandis que de l'autre les chambres étaient enterrées par une
éminence[2]. Entre la porte et la maison s'étendait une mare pleine
100 de fumier où coulaient les eaux pluviales et ménagères. Le mur
sur lequel s'appuyait ce chétif logis, et qui paraissait être plus
solide que les autres, était garni de cabanes grillagées où de vrais
lapins faisaient leurs nombreuses familles. À droite de la porte
cochère se trouvait la vacherie surmontée d'un grenier à four-
105 rages, et qui communiquait à la maison par une laiterie. À
gauche étaient une basse-cour, une écurie et un toit à cochons
qui avait été fini, comme celui de la maison, en mauvaises
planches de bois blanc clouées les unes sur les autres, et mal
recouvertes avec du jonc. Comme presque tous les endroits où
110 se cuisinent les éléments du grand repas que Paris dévore chaque jour, la cour dans laquelle Derville mit le pied offrait les
traces de la précipitation voulue par la nécessité d'arriver à heure
fixe. Ces grands vases de fer-blanc bossués[3] dans lesquels se
transporte le lait, et les pots qui contiennent la crème, étaient
115 jetés pêle-mêle devant la laiterie, avec leurs bouchons de linge.
Les loques trouées qui servaient à les essuyer flottaient au soleil
étendues sur des ficelles attachées à des piquets. Ce cheval
pacifique, dont la race ne se trouve que chez les laitières, avait
fait quelques pas en avant de sa charrette et restait devant l'écu-
120 rie, dont la porte était fermée. Une chèvre broutait le pampre[4]
de la vigne grêle et poudreuse qui garnissait le mur jaune et
lézardé de la maison. Un chat était accroupi sur les pots à crème
et les léchait. Les poules, effarouchées à l'approche de Derville,
s'envolèrent en criant, et le chien de garde aboya.
125 « L'homme qui a décidé le gain de la bataille d'Eylau serait

---

1 *Exhaussé* : surélevé.
2 *Éminence* : butte, monticule.
3 *Bossués* : bosselés, cabossés.
4 *Pampre* : branche de vigne.

là ! » se dit Derville en saisissant d'un seul coup d'œil l'ensemble de ce spectacle ignoble.

La maison était restée sous la protection de trois gamins.
L'un, grimpé sur le faîte d'une charrette chargée de fourrage
130 vert, jetait des pierres dans un tuyau de cheminée de la maison
voisine, espérant qu'elles y tomberaient dans la marmite.
L'autre essayait d'amener un cochon sur le plancher de la charrette qui touchait à terre, tandis que le troisième pendu à l'autre
bout attendait que le cochon y fût placé pour l'enlever en faisant
135 faire la bascule à la charrette. Quand Derville leur demanda si
c'était bien là que demeurait monsieur Chabert, aucun ne
répondit, et tous trois le regardèrent avec une stupidité spirituelle[1], s'il est permis d'allier ces deux mots. Derville réitéra ses
questions sans succès. Impatienté par l'air narquois des trois
140 drôles, il leur dit de ces injures plaisantes que les jeunes gens
se croient le droit d'adresser aux enfants, et les gamins rompi-
rent le silence par un rire brutal. Derville se fâcha. Le colonel,
qui l'entendit, sortit d'une petite chambre basse située près de
la laiterie et apparut sur le seuil de sa porte avec un flegme
145 militaire inexprimable. Il avait à la bouche une de ces pipes
notablement *culottées*[2] (expression technique des fumeurs), une
de ces humbles pipes de terre blanche nommées des *brûle-
gueules*[3]. Il leva la visière d'une casquette horriblement crasseuse,
aperçut Derville et traversa le fumier, pour venir plus promp-
150 tement à son bienfaiteur, en criant d'une voix amicale aux
gamins : « Silence dans les rangs ! » Les enfants gardèrent aussitôt un silence respectueux qui annonçait l'empire exercé sur
eux par le vieux soldat.

« Pourquoi ne m'avez-vous pas écrit ? dit-il à Derville. Allez
155 le long de la vacherie ! Tenez, là, le chemin est pavé », s'écria-
t-il en remarquant l'indécision de l'avoué qui ne voulait pas se
mouiller les pieds dans le fumier.

En sautant de place en place, Derville arriva sur le seuil de
la porte par où le colonel était sorti. Chabert parut désagréa-

---

1 *Spirituelle* : malicieuse.
2 *Culottées* : dont le fourneau est couvert d'un dépôt noir.
3 *Brûle-gueules* : pipes à tuyau très court.

Trois mois après leur première rencontre, Derville se rend au domicile du colonel Chabert pour lui annoncer qu'il a reçu les pièces authentifiant son séjour en Allemagne. L'avoué découvre alors l'univers sordide où vit le vieux soldat aux portes de Paris.

RÉFLÉCHIR

Thèmes : *Une misère supportée avec dignité*

1. Cherchez à qualifier l'impression sur laquelle nous laisse la description des lieux.

2. Analysez la comparaison des lignes 80 à 90. Sur quoi repose-t-elle ? N'est-elle pas dans un certain sens paradoxale ?

3. Commentez la métaphore (☞ p. 141) des lignes 109 à 111. Vous paraît-elle indispensable ? Qu'ajoute-t-elle à la description ?

4. Dans quelle mesure les lieux reflètent-ils le genre de vie des habitants ?

L'art du récit : *La découverte du logis*

5. Pourquoi Derville a-t-il voulu se rendre au domicile de Chabert ?

6. À quels détails Derville est-il surtout sensible ? Sa curiosité s'explique-t-elle par son caractère ? par sa profession ? par l'intérêt qu'il porte à tout ce qui touche Chabert ?

7. Étudiez le sens des verbes dans la partie centrale du passage (l. 91 à 99). Justifiez par cette étude l'impression de bizarrerie qui se dégage du lieu.

8. Comment la déchéance de Chabert est-elle suggérée ici ? Bien que Derville n'exprime aucun sentiment, ne trahisse aucune émotion, ne peut-on pas deviner ses réactions ?

9. De quelle façon Chabert est-il désigné dans la première et dans la dernière phrases ? Appréciez l'effet de contraste que cela produit avec le ton d'ensemble de la description.

10. Que signifie étymologiquement le mot *ignoble* ? En quoi cette étymologie est-elle intéressante ici ?

160 blement affecté d'être obligé de le recevoir dans la chambre qu'il occupait. En effet, Derville n'y aperçut qu'une seule chaise. Le lit du colonel consistait en quelques bottes de paille sur lesquelles son hôtesse avait étendu deux ou trois lambeaux de ces vieilles tapisseries, ramassées je ne sais où, qui servent aux
165 laitières à garnir les bancs de leurs charrettes. Le plancher était tout simplement en terre battue. Les murs salpêtrés[1], verdâtres et fendus répandaient une si forte humidité, que le mur contre lequel couchait le colonel était tapissé d'une natte en jonc. Le fameux carrick pendait à un clou. Deux mauvaises paires de
170 bottes gisaient dans un coin. Nul vestige de linge. Sur la table vermoulue, les Bulletins de la Grande Armée[2] réimprimés par Plancher étaient ouverts, et paraissaient être la lecture du colonel, dont la physionomie était calme et sereine au milieu de cette misère. Sa visite chez Derville semblait avoir changé le caractère
175 de ses traits, où l'avoué trouva les traces d'une pensée heureuse, une lueur particulière qu'y avait jetée l'espérance.

« La fumée de la pipe vous incommode-t-elle ? dit-il, en tendant à son avoué la chaise à moitié dépaillée.

– Mais, colonel, vous êtes horriblement mal ici. »

180 Cette phrase fut arrachée à Derville par la défiance naturelle aux avoués, et par la déplorable expérience que leur donnent de bonne heure les épouvantables drames inconnus auxquels ils assistent.

« Voilà, se dit-il, un homme qui aura certainement employé
185 mon argent à satisfaire les trois vertus théologales[3] du troupier : le jeu, le vin et les femmes !

– C'est vrai, monsieur, nous ne brillons pas ici par le luxe. C'est un bivouac tempéré par l'amitié, mais... » Ici le soldat lança un regard profond à l'homme de loi. « Mais, je n'ai fait
190 de tort à personne, je n'ai jamais repoussé personne, et je dors tranquille. »

---

1 *Salpêtrés* : recouverts de salpêtre, nitrates se déposant sur les murs sous l'action de l'humidité.
2 Bulletins publiés entre 1805 et 1812, qui relataient et expliquaient les opérations militaires au public.
3 *Les trois vertus théologales* : les trois vertus majeures pour l'Église catholique : la foi, l'espérance, la charité (ici, ironique).

L'avoué songea qu'il y aurait peu de délicatesse à demander compte à son client des sommes qu'il lui avait avancées, et il se contenta de lui dire : « Pourquoi n'avez-vous donc pas voulu
195 venir dans Paris où vous auriez pu vivre aussi peu chèrement que vous vivez ici, mais où vous auriez été mieux ?

— Mais, répondit le colonel, les braves gens chez lesquels je suis m'avaient recueilli, nourri *gratis* depuis un an ! comment les quitter au moment où j'avais un peu d'argent ? Puis le père
200 de ces trois gamins est un vieux *égyptien*...

— Comment, un égyptien ?

— Nous appelons ainsi les troupiers qui sont revenus de l'expédition d'Égypte[1] de laquelle j'ai fait partie. Non seulement tous ceux qui en sont revenus sont un peu frères, mais Ver-
205 gniaud était alors dans mon régiment, nous avions partagé de l'eau dans le désert. Enfin, je n'ai pas encore fini d'apprendre à lire à ses marmots.

— Il aurait bien pu vous mieux loger, pour votre argent, lui.

— Bah ! dit le colonel, ses enfants couchent comme moi sur
210 la paille ! Sa femme et lui n'ont pas un lit meilleur, ils sont bien pauvres, voyez-vous ? ils ont pris un établissement au-dessus de leurs forces. Mais si je recouvre ma fortune !... Enfin, suffit !

— Colonel, je dois recevoir demain ou après vos actes d'Heilsberg. Votre libératrice vit encore !
215 — Sacré argent ! Dire que je n'en ai pas ! » s'écria-t-il en jetant par terre sa pipe.

Une pipe *culottée* est une pipe précieuse pour un fumeur ; mais ce fut par un geste si naturel, par un mouvement si géné-reux, que tous les fumeurs et même la Régie[2] lui eussent par-
220 donné ce crime de lèse-tabac. Les anges auraient peut-être ramassé les morceaux.

« Colonel, votre affaire est excessivement compliquée, lui dit Derville en sortant de la chambre pour s'aller promener au soleil le long de la maison.
225 — Elle me paraît, dit le soldat, parfaitement simple. L'on

---

1 Campagne décidée par le général Bonaparte pour affaiblir l'Angleterre (1798-1799).
2 *La Régie* : monopole d'État sur le tabac et les allumettes.

m'a cru mort, me voilà ! Rendez-moi ma femme et ma fortune ; donnez-moi le grade de général auquel j'ai droit, car j'ai passé colonel dans la garde impériale, la veille de la bataille d'Eylau.

230 — Les choses ne vont pas ainsi dans le monde judiciaire, reprit Derville. Écoutez-moi bien. Vous êtes le comte Chabert, je le veux bien, mais il s'agit de le prouver judiciairement à des gens qui vont avoir intérêt à nier votre existence. Ainsi, vos actes seront discutés. Cette discussion entraînera dix ou douze questions préliminaires. Toutes iront contradictoirement jus-

235 qu'à la cour suprême, et constitueront autant de procès coûteux, qui traîneront en longueur, quelle que soit l'activité que j'y mette. Vos adversaires demanderont une enquête à laquelle nous ne pourrons pas nous refuser, et qui nécessitera peut-être une commission rogatoire[1] en Prusse. Mais supposons tout au

240 mieux : admettons qu'il soit reconnu promptement par la justice que vous êtes le colonel Chabert. Savons-nous comment sera jugée la question soulevée par la bigamie fort innocente de la comtesse Ferraud ? Dans votre cause, le point de droit est en dehors du code[2], et ne peut être jugé par les juges que suivant

245 les lois de la conscience, comme fait le jury dans les questions délicates que présentent les bizarreries sociales de quelques procès criminels. Or, vous n'avez pas eu d'enfants de votre mariage, et M. le comte Ferraud en a deux du sien, les juges peuvent déclarer nul le mariage où se rencontrent les liens les

250 plus faibles, au profit du mariage qui en comporte de plus forts, du moment où il y a eu bonne foi chez les contractants. Serez-vous dans une position morale bien belle, en voulant *mordicus*[3] avoir à votre âge et dans les circonstances où vous vous trouvez une femme qui ne vous aime plus ? Vous aurez contre

255 vous votre femme et son mari, deux personnes puissantes qui pourront influencer les tribunaux. Le procès a donc des éléments de durée. Vous aurez le temps de vieillir dans les chagrins les plus cuisants.

— Et ma fortune ?

---

1 *Commission rogatoire* : renvoi d'une affaire d'un tribunal à un autre.
2 *Le code* : ☞ p. 114.
3 *Mordicus* : avec obstination, opiniâtreté.

Le Divorce, gouache de la fin du XVIIIᵉ siècle, par Le Sueur (Père).

Derville est maintenant en possession de toutes les informations et de toutes les pièces nécessaires pour pouvoir traiter le cas Chabert avec quelques chances de succès. Il expose son point de vue à Chabert et dévoile certains aspects de sa stratégie.

RÉFLÉCHIR

Caractères : *Les illusions du colonel Chabert*

1. Analysez avec précision la première phrase prononcée par chacun des personnages ; étudiez en particulier les effets de parallélisme et d'opposition. Quelle conclusion peut-on tirer de cette étude ?

2. Quels obstacles compliquent la situation du colonel ? Quels sont ses points faibles ? Le discours de Derville ne détruit-il pas certaines illusions de son client ? lesquelles ?

3. Quelle idée le colonel se fait-il de la justice ? Sur quels points se trompe-t-il surtout ?

Stratégies : *Un avocat en action*

4. Faites le plan du discours de Derville et dégagez les principales questions qu'il soulève.

5. Quels arguments l'avoué développe-t-il devant Chabert ? Parvient-il à convaincre totalement son client ? Étudiez, de ce point de vue, les articulations logiques, la structure et le rythme des phrases, les questions oratoires.

6. Quel est le but de Derville ? Ne se montre-t-il pas parfois un peu brutal ? Est-ce de sa part un manque de tact ? d'expérience ? Quelles sont les réactions de Chabert ?

7. Sur quoi l'autorité de Derville repose-t-elle ? Comment s'exprime-t-elle dans son discours ? N'y-a-t-il pas, par rapport à la première entrevue, un renversement de situation ?

Société : *Le droit, la morale et l'argent*

8. Quelle place les sentiments humains occupent-ils dans le récit de Derville ?

9. Montrez que le point de vue de Derville et celui de la comtesse sont en totale opposition. Quelle est la place de la morale dans ce dilemme ?

10. Le point de droit entre ici en conflit avec les intérêts personnels. Comment Derville tranche-t-il la question ? Quel rôle l'argent joue-t-il dans cette scène ?

11. *« Vous n'avez pas eu d'enfants de votre mariage, et M. le comte Ferraud en a deux du sien »* (l. 247-248) : la gouache de la page 57 représente un couple marié qui voulait divorcer, mais se laisse convaincre par le juge d'y renoncer, eu égard à l'enfant qu'ils ont. Quel parallèle peut-on faire avec le roman de Balzac ? Quel rôle le juge joue-t-il ici ?

260   – Vous vous croyez donc une grande fortune ?

    – N'avais-je pas trente mille livres de rente ?

    – Mon cher colonel, vous aviez fait, en 1799, avant votre mariage, un testament qui léguait le quart de vos biens aux hospices.

265   – C'est vrai.

    – Eh bien, vous censé mort[1], n'a-t-il pas fallu procéder à un inventaire, à une liquidation afin de donner ce quart aux hospices ? Votre femme ne s'est pas fait scrupule de tromper les pauvres. L'inventaire, où sans doute elle s'est bien gardée

270 de mentionner l'argent comptant, les pierreries, où elle aura produit peu d'argenterie, et où le mobilier a été estimé à deux tiers au-dessous du prix réel, soit pour la favoriser, soit pour payer moins de droits au fisc, et aussi parce que les commissaires-priseurs sont responsables de leurs estimations, l'inven-

275 taire ainsi fait a établi six cent mille francs de valeurs. Pour sa part, votre veuve avait droit à la moitié. Tout a été vendu, racheté par elle, elle a bénéficié sur tout, et les hospices ont eu leurs soixante-quinze mille francs. Puis, comme le fisc héritait de vous, attendu que vous n'aviez pas fait mention de votre

280 femme dans votre testament, l'Empereur a rendu par un décret à votre veuve la portion qui revenait au domaine public. Maintenant, à quoi avez-vous droit ? à trois cent mille francs seulement, moins les frais.

    – Et vous appelez cela la justice ? dit le colonel ébahi.

285   – Mais, certainement...

    – Elle est belle.

    – Elle est ainsi, mon pauvre colonel. Vous voyez que ce que vous avez cru facile ne l'est pas. Mme Ferraud peut même vouloir garder la portion qui lui a été donnée par l'Empereur.

290   – Mais elle n'était pas veuve, le décret est nul...

    – D'accord. Mais tout se plaide. Écoutez-moi. Dans ces circonstances, je crois qu'une transaction serait, et pour vous et pour elle, le meilleur dénouement du procès. Vous y gagnerez une fortune plus considérable que celle à laquelle vous auriez

295 droit.

---

1 *Censé mort* : tenu pour mort.

– Ce serait vendre ma femme !

– Avec vingt-quatre mille francs de rente, vous aurez, dans la position où vous vous trouvez, des femmes qui vous conviendront mieux que la vôtre, et qui vous rendront plus heureux.
300 Je compte aller voir aujourd'hui même Mme la comtesse Ferraud afin de sonder le terrain ; mais je n'ai pas voulu faire cette démarche sans vous en prévenir.

– Allons ensemble chez elle...

– Fait comme vous êtes ? dit l'avoué. Non, non, colonel,
305 non. Vous pourriez y perdre tout à fait votre procès...

– Mon procès est-il gagnable ?

– Sur tous les chefs[1], répondit Derville. Mais, mon cher colonel Chabert, vous ne faites pas attention à une chose. Je ne suis pas riche, ma charge n'est pas entièrement payée. Si les
310 tribunaux vous accordent une *provision*, c'est-à-dire une somme à prendre par avance sur votre fortune, ils ne l'accorderont qu'après avoir reconnu vos qualités de comte Chabert, grand-officier de la Légion d'honneur.

– Tiens, je suis grand-officier de la Légion, je n'y pensais
315 plus, dit-il naïvement.

– Eh bien, jusque-là, reprit Derville, ne faut-il pas plaider, payer des avocats, lever et solder les jugements, faire marcher des huissiers, et vivre ? les frais des instances préparatoires[2] se monteront, à vue de nez, à plus de douze ou quinze mille francs.
320 Je ne les ai pas, moi qui suis écrasé par les intérêts énormes que je paye à celui qui m'a prêté l'argent de ma charge. Et vous ! où les trouverez-vous ? »

De grosses larmes tombèrent des yeux flétris du pauvre soldat et roulèrent sur ses joues ridées. À l'aspect de ces diffi-
325 cultés, il fut découragé. Le monde social et judiciaire lui pesait sur la poitrine comme un cauchemar.

« J'irai, s'écria-t-il, au pied de la colonne de la place Ven-

---

1 *Sur tous les chefs* : sur tous les points.
2 *Les instances préparatoires* : les formalités nécessaires à l'ouverture d'un procès.

dôme[1], je crierai là : "Je suis le colonel Chabert qui a enfoncé le grand carré des Russes à Eylau !" Le bronze, lui ! me reconnaîtra.

330

– Et l'on vous mettra sans doute à Charenton. »

À ce nom redouté, l'exaltation du militaire tomba.

« N'y aurait-il donc pas pour moi quelques chances favorables au ministère de la Guerre ?

335

– Les bureaux ! dit Derville. Allez-y, mais avec un jugement bien en règle qui déclare nul votre acte de décès. Les bureaux voudraient pouvoir anéantir les gens de l'Empire. »

Le colonel resta pendant un moment interdit, immobile, regardant sans voir, abîmé dans un désespoir sans bornes. La

340

justice militaire est franche, rapide, elle décide à la turque, et juge presque toujours bien ; cette justice était la seule que connût Chabert. En apercevant le dédale de difficultés où il fallait s'engager, en voyant combien il fallait d'argent pour y voyager, le pauvre soldat reçut un coup mortel dans cette puis-

345

sance particulière à l'homme et que l'on nomme la *volonté*. Il lui parut impossible de vivre en plaidant, il fut pour lui mille fois plus simple de rester pauvre, mendiant, de s'engager comme cavalier si quelque régiment voulait de lui. Ses souffrances physiques et morales lui avaient déjà vicié le corps dans

350

quelques-uns des organes les plus importants. Il touchait à l'une de ces maladies pour lesquelles la médecine n'a pas de nom, dont le siège est en quelque sorte mobile comme l'appareil nerveux qui paraît le plus attaqué parmi tous ceux de notre machine, affection qu'il faudrait nommer le *spleen*[2] du malheur.

355

Quelque grave que fût déjà ce mal invisible, mais réel, il était encore guérissable par une heureuse conclusion. Pour ébranler tout à fait cette vigoureuse organisation, il suffirait d'un obstacle nouveau, de quelque fait imprévu qui en romprait les ressorts affaiblis et produirait ces hésitations, ces actes incompris,

360

incomplets, que les physiologistes observent chez les êtres ruinés par les chagrins.

---

1 La colonne de la place Vendôme a été érigée à la gloire de Napoléon avec le bronze fondu des canons pris aux Autrichiens et aux Russes à la bataille d'Austerlitz en 1805.

2 *Spleen* : ennui (au sens fort), dégoût de la vie.

En reconnaissant alors les symptômes d'un profond abatte-
ment chez son client, Derville lui dit : « Prenez courage, la
solution de cette affaire ne peut que vous être favorable. Seu-
365 lement, examinez si vous pouvez me donner toute votre
confiance, et accepter aveuglément le résultat que je croirai le
meilleur pour vous.

— Faites comme vous voudrez, dit Chabert.

— Oui, mais vous vous abandonnez à moi comme un
370 homme qui marche à la mort ?

— Ne vais-je pas rester sans état, sans nom ? Est-ce toléra-
ble ?

— Je ne l'entends pas ainsi, dit l'avoué. Nous poursuivrons
à l'amiable un jugement pour annuler votre acte de décès et
375 votre mariage, afin que vous repreniez vos droits. Vous serez
même, par l'influence du comte Ferraud, porté sur les cadres
de l'armée comme général, et vous obtiendrez sans doute une
pension.

— Allez donc ! répondit Chabert, je me fie entièrement à
380 vous.

— Je vous enverrai donc une procuration à signer, dit Derville. Adieu, bon courage ! S'il vous faut de l'argent, comptez
sur moi. »

Chabert serra chaleureusement la main de Derville, et resta
385 le dos appuyé contre la muraille, sans avoir la force de le suivre
autrement que des yeux. Comme tous les gens qui comprennent
peu les affaires judiciaires, il s'effrayait de cette lutte imprévue.
Pendant cette conférence, à plusieurs reprises, il s'était avancé,
hors d'un pilastre de la porte cochère, la figure d'un homme
390 posté dans la rue pour guetter la sortie de Derville, et qui
l'accosta quand il sortit. C'était un vieux homme vêtu d'une
veste bleue, d'une cotte[1] blanche plissée semblable à celle des
brasseurs, et qui portait sur la tête une casquette de loutre. Sa
figure était brune, creusée, ridée, mais rougie sur les pommettes
395 par l'excès du travail et hâlée par le grand air.

« Excusez, monsieur, dit-il à Derville en l'arrêtant par le bras,

---

1 *Cotte* : pantalon de travail, salopette.

si je prends la liberté de vous parler, mais je me suis douté, en vous voyant, que vous étiez l'ami de notre général.

— Eh bien ? dit Derville, en quoi vous intéressez-vous à lui ?
400 Mais qui êtes-vous ? reprit le défiant avoué.

— Je suis Louis Vergniaud, répondit-il d'abord. Et j'aurais deux mots à vous dire.

— Et c'est vous qui avez logé le comte Chabert comme il l'est ?

405 — Pardon, excuse, monsieur, il a la plus belle chambre. Je lui aurais donné la mienne, si je n'en avais eu qu'une. J'aurais couché dans l'écurie. Un homme qui a souffert comme lui, qui apprend à lire à mes *mioches*, un général, un égyptien, le premier lieutenant sous lequel j'ai servi... faudrait voir ? Du tout, il est
410 le mieux logé. J'ai partagé avec lui ce que j'avais. Malheureusement ce n'était pas grand-chose, du pain, du lait, des œufs ; enfin à la guerre comme à la guerre ! C'est de bon cœur. Mais il nous a vexés.

— Lui ?

415 — Oui, monsieur, vexés, là ce qui s'appelle en plein. J'ai pris un établissement au-dessus de mes forces, il le voyait bien. Ça vous le contrariait, et il pansait le cheval ! Je lui dis : "Mais, mon général ? – Bah ! qui dit, je ne veux pas être comme un fainéant, et il y a longtemps que je sais brosser le lapin." J'avais
420 donc fait des billets[1] pour le prix de ma vacherie à un nommé Grados... Le connaissez-vous, monsieur ?

— Mais, mon cher, je n'ai pas le temps de vous écouter. Seulement dites-moi comment le colonel vous a vexés !

— Il nous a vexés, monsieur, aussi vrai que je m'appelle
425 Louis Vergniaud et que ma femme en a pleuré. Il a su par les voisins que nous n'avions pas le premier sou de notre billet. Le vieux grognard, sans rien dire, a amassé tout ce que vous lui donniez, a guetté le billet et l'a payé. C'te malice ! Que ma femme et moi nous savions qu'il n'avait pas de tabac, ce pau-
430 vre vieux, et qu'il s'en passait ! Oh ! maintenant, tous les matins il a ses cigares ! Je me vendrais plutôt... Non ! nous sommes

---

1 *Faire des billets* : signer des reconnaissances de dettes.

vexés. Donc, je voudrais vous proposer de nous prêter, vu qu'il nous a dit que vous étiez un brave homme, une centaine d'écus sur notre établissement, afin que nous lui fassions faire des habits, que nous lui meublions sa chambre. Il a cru nous acquitter, pas vrai ? Eh bien, au contraire, voyez-vous, l'ancien nous a endettés... et vexés ! Il ne devait pas nous faire cette avanie-là. Il nous a vexés ! et des amis, encore ? Foi d'honnête homme, aussi vrai que je m'appelle Louis Vergniaud, je m'engagerais plutôt que de ne pas vous rendre cet argent-là... »

Derville regarda le nourrisseur, et fit quelques pas en arrière pour revoir la maison, la cour, les fumiers, l'étable, les lapins, les enfants.

« Par ma foi, je crois qu'un des caractères de la vertu est de ne pas être propriétaire, se dit-il. Va, tu auras tes cent écus ! et plus même. Mais ce ne sera pas moi qui te les donnerai, le colonel sera bien assez riche pour t'aider, et je ne veux pas lui en ôter le plaisir.

— Ce sera-t-il bientôt ?

— Mais oui.

— Ah ! mon Dieu, que mon épouse va-t-être contente ! »

Et la figure tannée du nourrisseur sembla s'épanouir.

« Maintenant, se dit Derville en remontant dans son cabriolet, allons chez notre adversaire. Ne laissons pas voir notre jeu, tâchons de connaître le sien, et gagnons la partie d'un seul coup. Il faudrait l'effrayer ? Elle est femme. De quoi s'effraient le plus les femmes ? Mais les femmes ne s'effraient que de... »

Il se mit à étudier la position de la comtesse, et tomba dans une de ces méditations auxquelles se livrent les grands politiques en concevant leurs plans, en tâchant de deviner le secret des cabinets ennemis. Les avoués ne sont-ils pas en quelque sorte des hommes d'État chargés des affaires privées ? Un coup d'œil jeté sur la situation de M. le comte Ferraud et de sa femme est ici nécessaire pour faire comprendre le génie de l'avoué.

M. le comte Ferraud était le fils d'un ancien Conseiller au Parlement de Paris, qui avait émigré pendant le temps de la Terreur, et qui, s'il sauva sa tête, perdit sa fortune. Il rentra sous le Consulat et resta constamment fidèle aux intérêts de Louis XVIII, dans les entours duquel était son père avant la

470 révolution. Il appartenait donc à cette partie du faubourg Saint-Germain qui résista noblement aux séductions de Napoléon. La réputation de capacité que se fit le jeune comte, alors simplement appelé M. Ferraud, le rendit l'objet des coquetteries de l'Empereur, qui souvent était aussi heureux de ses conquêtes

475 sur l'artistocratie que du gain d'une bataille. On promit au comte la restitution de son titre, celle de ses biens non vendus, on lui montra dans le lointain un ministère, une sénatorerie[1]. L'Empereur échoua. M. Ferraud était, lors de la mort du comte Chabert, un jeune homme de vingt-six ans, sans fortune, doué

480 de formes agréables, qui avait des succès et que le faubourg Saint-Germain avait adopté comme une de ses gloires ; mais Mme la comtesse Chabert avait su tirer un si bon parti de la succession de son mari, qu'après dix-huit mois de veuvage elle possédait environ quarante mille livres de rente. Son mariage

485 avec le jeune comte ne fut pas accepté comme une nouvelle[2] par les coteries du faubourg Saint-Germain. Heureux de ce mariage qui répondait à ses idées de fusion, Napoléon rendit à Mme Chabert la portion dont héritait le fisc dans la succession du colonel ; mais l'espérance de Napoléon fut encore trompée.

490 Mme Ferraud n'aimait pas seulement son amant dans le jeune homme, elle avait été séduite aussi par l'idée d'entrer dans cette société dédaigneuse qui, malgré son abaissement, dominait la cour impériale. Toutes ses vanités étaient flattées autant que ses passions dans ce mariage. Elle allait devenir une *femme comme*

495 *il faut*. Quand le faubourg Saint-Germain sut que le mariage du jeune comte n'était pas une défection, les salons s'ouvrirent à sa femme. La Restauration vint. La fortune politique du comte Ferraud ne fut pas rapide. Il comprenait les exigences de la position dans laquelle se trouvait Louis XVIII, il était du nom-

500 bre des initiés qui attendaient *que l'abîme des révolutions fût fermé*[3], car cette phrase royale, dont se moquèrent tant les libéraux, cachait un sens politique. Néanmoins, l'ordonnance citée dans la longue phase cléricale qui commence cette histoire lui

---

1 *Sénatorerie* : charge de sénateur.
2 *Nouvelle* : ici, bonne nouvelle.
3 Phrase célèbre prononcée par Louis XVIII.

avait rendu deux forêts et une terre dont la valeur avait consi-
dérablement augmenté pendant le séquestre[1]. En ce moment,
quoique le comte Ferraud fût conseiller d'État, directeur général, il ne considérait sa position que comme le début de sa
fortune politique. Préoccupé par les soins d'une ambition dévo-
rante, il s'était attaché comme secrétaire un ancien avoué ruiné
nommé Delbecq, homme plus qu'habile, qui connaissait admi-
rablement les ressources de la chicane, et auquel il laissait la
conduite de ses affaires privées. Le rusé praticien avait assez
bien compris sa position chez le comte pour y être probe par
spéculation. Il espérait parvenir à quelque place par le crédit de
son patron, dont la fortune était l'objet de tous ses soins. Sa
conduite démentait tellement sa vie antérieure qu'il passait pour
un homme calomnié. Avec le tact et la finesse dont sont plus
ou moins douées toutes les femmes, la comtesse, qui avait
deviné son intendant, le surveillait adroitement, et savait si bien
le manier, qu'elle en avait déjà tiré un très bon parti pour l'augmentation de sa fortune particulière. Elle avait su persuader à
Delbecq qu'elle gouvernait M. Ferraud, et lui avait promis de
le faire nommer président d'un tribunal de première instance
dans l'une des plus importantes villes de France, s'il se dévouait
entièrement à ses intérêts. La promesse d'une place inamovible
qui lui permettrait de se marier avantageusement et de conquérir plus tard une haute position dans la carrière politique en
devenant député fit de Delbecq l'âme damnée de la comtesse.
Il ne lui avait laissé manquer aucune des chances favorables que
les mouvements de Bourse et la hausse des propriétés présen-
tèrent dans Paris aux gens habiles pendant les trois premières
années de la Restauration. Il avait triplé les capitaux de sa pro-
tectrice, avec d'autant plus de facilité que tous les moyens
avaient paru bons à la comtesse afin de rendre promptement
sa fortune énorme. Elle employait les émoluments des places
occupées par le comte aux dépenses de la maison, afin de pouvoir capitaliser ses revenus, et Delbecq se prêtait aux calculs de
cette avarice sans chercher à s'en expliquer les motifs. Ces sortes

---

1 *Séquestre* : mise sous saisie d'un bien en attendant le règlement d'un litige.

Non sans mal, Derville vient d'obtenir que Chabert accepte une tran-saction avec sa femme. Il se rend aussitôt chez la comtesse pour lui proposer de signer le compromis. Pendant le trajet qui le mène du faubourg Saint-Marceau à la rue de Varenne, l'avoué songe aux moyens de faire pression sur la jeune femme. C'est le moment que choisit Balzac pour nous renseigner sur la position du comte Ferraud dans le monde politique de la Restauration.

RÉFLÉCHIR

Caractères : *Trois ambitieux*

1. L'ambition des trois personnages est-elle de même nature ? Étu-diez précisément les visées de chacun d'entre eux.

2. Par quel artifice de composition l'auteur suggère-t-il que le sort de Delbecq est étroitement lié à celui des époux Ferraud ?

3. Dans cette association d'intérêts, peut-on dire qu'un des comparses domine les autres ?

Société : *Une société en mutation*

4. Dans quelle mesure la Restauration favorise-t-elle les ambitieux ?

5. Comment Balzac présente-t-il le milieu des affaires ? Relevez les termes mettant en valeur l'habileté des affairistes. Lequel des trois ambitieux vous paraît le plus habile ?

6. Quel est le rôle joué par l'argent dans cette société ?

7. Étudiez la façon dont le narrateur nous fait passer du cas parti-culier au cas général. Relevez toutes les marques de généralisation.

Thèmes : *L'art de la dissimulation*

8. Chaque personnage cache soigneusement aux autres une partie de son passé : que révèle cette attitude ? En quoi le « *secret* » de la comtesse constitue-t-il « *le nœud de cette histoire* » (l. 548) ?

9. Le colonel Chabert peut-il trouver sa place dans une telle société ? Pourquoi ?

Style : *Le pouvoir de l'argent*

10. Relevez toutes les occurrences du mot « *fortune* » dans le texte. Balzac aurait-il pu trouver des synonymes ? Pourquoi cette insis-tance ?

11. Le sens du mot « *fortune* » varie-t-il dans les différentes occu-rences du texte ? Quels sont les sens de la ligne 508 et de la ligne 515 ? Quel est l'effet produit ?

de gens ne s'inquiètent que des secrets dont la découverte est
540 nécessaire à leurs intérêts. D'ailleurs il en trouvait si naturellement la raison dans cette soif d'or dont sont atteintes la plupart
des Parisiennes, et il fallait une si grande fortune pour appuyer
les prétentions du comte Ferraud, que l'intendant croyait
parfois entrevoir dans l'avidité de la comtesse un effet de son
545 dévouement pour l'homme de qui elle était toujours éprise. La
comtesse avait enseveli les secrets de sa conduite au fond de
son cœur. Là étaient des secrets de vie et de mort pour elle, là
était précisément le nœud de cette histoire. Au commencement
de l'année 1818, la Restauration fut assise sur des bases en
550 apparence inébranlables, ses doctrines gouvernementales,
comprises par les esprits élevés, leur parurent devoir amener
pour la France une ère de prospérité nouvelle, alors la société
parisienne changea de face. Mme la comtesse Ferraud se trouva
par hasard avoir fait tout ensemble un mariage d'amour, de
555 fortune et d'ambition. Encore jeune et belle, Mme Ferraud joua
le rôle d'une femme à la mode, et vécut dans l'atmosphère de
la cour. Riche par elle-même, riche par son mari, qui, prôné
comme un des hommes les plus capables du parti royaliste et
l'ami du Roi, semblait promis à quelque ministère, elle appar-
560 tenait à l'aristocratie, elle en partageait la splendeur. Au milieu
de ce triomphe, elle fut atteinte d'un cancer moral. Il est de ces
sentiments que les femmes devinent malgré le soin que les
hommes mettent à les enfouir. Au premier retour du Roi[1], le
comte Ferraud avait conçu quelques regrets de son mariage. La
565 veuve du colonel Chabert ne l'avait allié à personne, il était seul
et sans appui pour se diriger dans une carrière pleine d'écueils
et pleine d'ennemis. Puis, peut-être, quand il avait pu juger
froidement sa femme, avait-il reconnu chez elle quelques vices
d'éducation qui la rendaient impropre à le seconder dans ses
570 projets. Un mot dit par lui à propos du mariage de Talleyrand
éclaira la comtesse, à laquelle il fut prouvé que si son mariage
était à faire, jamais elle n'eût été Mme Ferraud. Ce regret, quelle
femme le pardonnerait ? Ne contient-il pas toutes les injures,

---

1 Après la première abdication de Napoléon à Fontainebleau, le 6 avril
1814.

tous les crimes, toutes les répudiations en germe ? Mais quelle
575 plaie ne devait pas faire ce mot dans le cœur de la comtesse, si
l'on vient à supposer qu'elle craignait de voir revenir son premier mari ! Elle l'avait su vivant, elle l'avait repoussé. Puis,
pendant le temps où elle n'en avait plus entendu parler, elle
s'était plu à le croire mort à Waterloo avec les aigles impériales
580 en compagnie de Boutin. Néanmoins elle conçut d'attacher le
comte à elle par le plus fort des liens, par la chaîne d'or, et
voulut être si riche que sa fortune rendît son second mariage
indissoluble, si par hasard le comte Chabert reparaissait encore.
Et il avait reparu, sans qu'elle s'expliquât pourquoi la lutte
585 qu'elle redoutait n'avait pas déjà commencé. Les souffrances,
la maladie l'avaient peut-être délivrée de cet homme. Peut-être
était-il à moitié fou, Charenton pouvait encore lui en faire raison. Elle n'avait pas voulu mettre Delbecq ni la police dans sa
confidence, de peur de se donner un maître, ou de précipiter
590 la catastrophe. Il existe à Paris beaucoup de femmes qui, semblables à la comtesse Ferraud, vivent avec un monstre moral
inconnu, ou côtoient un abîme ; elles se font un calus[1] à l'endroit
de leur mal, et peuvent encore rire et s'amuser.

   « Il y a quelque chose de bien singulier dans la situation de
595 M. le comte Ferraud, se dit Derville en sortant de sa longue
rêverie, au moment où son cabriolet s'arrêtait rue de Varenne,
à la porte de l'hôtel Ferraud. Comment, lui si riche, aimé du
Roi, n'est-il pas encore pair de France ? Il est vrai qu'il entre
peut-être dans la politique du Roi, comme me le disait Mme de
600 Grandlieu, de donner une haute importance à la pairie en ne
la prodiguant pas. D'ailleurs, le fils d'un conseiller au Parlement
n'est ni un Crillon, ni un Rohan. Le comte Ferraud ne peut
entrer que subrepticement dans la chambre haute. Mais, si son
mariage était cassé, ne pourrait-il faire passer sur sa tête, à la
605 grande satisfaction du Roi, la pairie d'un de ces vieux sénateurs
qui n'ont que des filles ? Voilà certes une bonne bourde[2] à
mettre en avant pour effrayer notre comtesse », se dit-il en montant le perron.

---

1 *Calus* : durcissement de la peau, par frottement. Ici, au sens figuré, endur-
   cissement.
2 *Bourde* : histoire (mensongère).

Derville avait, sans le savoir, mis le doigt sur la plaie secrète,
610 enfoncé la main dans le cancer qui dévorait Mme Ferraud. Il
fut reçu par elle dans une jolie salle à manger d'hiver, où elle
déjeunait en jouant avec un singe attaché par une chaîne à une
espèce de petit poteau garni de bâtons en fer. La comtesse était
enveloppée dans un élégant peignoir, les boucles de ses cheveux,
615 négligemment rattachés, s'échappaient d'un bonnet qui lui donnait un air mutin. Elle était fraîche et rieuse. L'argent, le vermeil,
la nacre étincelaient sur la table, et il y avait autour d'elle des
fleurs curieuses plantées dans de magnifiques vases en porce-
laine. En voyant la femme du comte Chabert, riche de ses
620 dépouilles, au sein du luxe, au faîte de la société, tandis que le
malheureux vivait chez un pauvre nourrisseur au milieu des
bestiaux, l'avoué se dit : « La morale de ceci est qu'une jolie
femme ne voudra jamais reconnaître son mari, ni même son
amant dans un homme en vieux carrick, en perruque de chien-
625 dent et en bottes percées. » Un sourire malicieux et mordant
exprima les idées moitié philosophiques, moitié railleuses qui
devaient venir à un homme si bien placé pour connaître le fond
des choses, malgré les mensonges sous lesquels la plupart des
familles parisiennes cachent leur existence.

630 « Bonjour, monsieur Derville, dit-elle en continuant à faire
prendre du café au singe.

– Madame, dit-il brusquement, car il se choqua du ton léger
avec lequel la comtesse lui avait dit "Bonjour, monsieur Derville", je viens causer avec vous d'une affaire assez grave.

635 – J'en suis *désespérée*, M. le comte est absent...

– J'en suis enchanté, moi, madame. Il serait *désespérant* qu'il
assistât à notre conférence. Je sais d'ailleurs, par Delbecq, que
vous aimez à faire vos affaires vous-même sans en ennuyer
M. le comte.

640 – Alors, je vais faire appeler Delbecq, dit-elle.

– Il vous serait inutile, malgré son habileté, reprit Derville.
Écoutez, madame, un mot suffira pour vous rendre sérieuse.
Le comte Chabert existe.

– Est-ce en disant de semblables bouffonneries que vous
645 voulez me rendre sérieuse ? » dit-elle en partant d'un éclat de
rire.

Mais la comtesse fut tout à coup domptée par l'étrange lucidité du regard fixe par lequel Derville l'interrogeait en paraissant lire au fond de son âme.

650 « Madame, répondit-il avec une gravité froide et perçante, vous ignorez l'étendue des dangers qui vous menacent. Je ne vous parlerai pas de l'incontestable authenticité des pièces, ni de la certitude des preuves qui attestent l'existence du comte Chabert. Je ne suis pas homme à me charger d'une mauvaise

655 cause, vous le savez. Si vous vous opposez à notre inscription en faux contre l'acte de décès, vous perdrez ce premier procès, et cette question résolue en notre faveur nous fait gagner toutes les autres.

— De quoi prétendez-vous donc me parler ?

660 — Ni du colonel, ni de vous. Je ne vous parlerai pas non plus des mémoires que pourraient faire des avocats spirituels, armés des faits curieux de cette cause, et du parti qu'ils tireraient des lettres que vous avez reçues de votre premier mari avant la célébration de votre mariage avec votre second.

665 — Cela est faux ! dit-elle avec toute la violence d'une petite-maîtresse[1]. Je n'ai jamais reçu de lettre du comte Chabert ; et si quelqu'un se dit être le colonel, ce ne peut être qu'un intrigant, quelque forçat libéré, comme Coignard[2] peut-être. Le frisson prend rien que d'y penser. Le colonel peut-il ressusciter, mon-

670 sieur ? Bonaparte m'a fait complimenter[3] sur sa mort par un aide de camp, et je touche encore aujourd'hui trois mille francs de pension accordée à sa veuve par les Chambres. J'ai eu mille fois raison de repousser tous les Chabert qui sont venus, comme je repousserai tous ceux qui viendront.

675 — Heureusement nous sommes seuls, madame. Nous pouvons mentir à notre aise », dit-il froidement en s'amusant à aiguillonner la colère qui agitait la comtesse afin de lui arracher quelques indiscrétions, par une manœuvre familière aux avoués,

---

1 *Petite-maîtresse* : jeune femme coquette et prétentieuse.
2 *Coignard* : aventurier condamné à 15 ans de galères pour vol en 1802, évadé en 1805. Il servit dans l'armée napoléonienne, se rallia à Louis XVIII. Condamné sur une dénonciation aux travaux forcés à perpétuité, il mourut en 1831.
3 *Complimenter* : ici, adresser des condoléances.

habitués à rester calmes quand leurs adversaires ou leurs clients
680 s'emportent.

« Hé bien donc, à nous deux », se dit-il à lui-même en ima-
ginant à l'instant un piège pour lui démontrer sa faiblesse. « La
preuve de la remise de la première lettre existe, madame,
reprit-il à haute voix, elle contenait des valeurs[1]...

685 — Oh ! pour des valeurs, elle n'en contenait pas.

— Vous avez donc reçu cette première lettre, reprit Derville
en souriant. Vous êtes déjà prise dans le premier piège que vous
tend un avoué, et vous croyez pouvoir lutter avec la justice... »

La comtesse rougit, pâlit, se cacha la figure dans les mains.
690 Puis, elle secoua sa honte, et reprit avec le sang-froid naturel à
ces sortes de femmes : « Puisque vous êtes l'avoué du prétendu
Chabert, faites-moi le plaisir de...

— Madame, dit Derville en l'interrompant, je suis encore en
ce moment votre avoué comme celui du colonel. Croyez-vous
695 que je veuille perdre une clientèle aussi précieuse que l'est la
vôtre ? Mais vous ne m'écoutez pas...

— Parlez, monsieur, dit-elle gracieusement.

— Votre fortune vous venait de M. le comte Chabert et vous
l'avez repoussé. Votre fortune est colossale, et vous le laissez
700 mendier. Madame, les avocats sont bien éloquents lorsque les
causes sont éloquentes par elles-mêmes, il se rencontre ici des
circonstances capables de soulever contre vous l'opinion publique.

— Mais, monsieur, dit la comtesse impatientée de la manière
705 dont Derville la tournait et retournait sur le gril, en admettant
que votre M. Chabert existe, les tribunaux maintiendront mon
second mariage à cause des enfants, et j'en serai quitte pour
rendre deux cent vingt-cinq mille francs à monsieur Chabert.

— Madame, nous ne savons pas de quel côté les tribunaux
710 verront la question sentimentale. Si, d'une part, nous avons une
mère et ses enfants, nous avons de l'autre un homme accablé
de malheurs, vieilli par vous, par vos refus. Où trouvera-t-il une
femme ? Puis, les juges peuvent-ils heurter la loi ? Votre mariage

---

1 *Valeurs* : actions, obligations, lettres de change.

avec le colonel a pour lui le droit, la priorité. Mais si vous êtes
15 représentée sous d'odieuses couleurs, vous pourriez avoir un
adversaire auquel vous ne vous attendez pas. Là, madame, est
ce danger dont je voudrais vous préserver.

— Un nouvel adversaire ! dit-elle, qui ?

— M. le comte Ferraud, madame.

20 — M. Ferraud a pour moi un trop vif attachement, et, pour
la mère de ses enfants, un trop grand respect...

— Ne parlez pas de ces niaiseries-là, dit Derville en l'interrompant, à des avoués habitués à lire au fond des cœurs. En ce
moment M. Ferraud n'a pas la moindre envie de rompre votre
25 mariage et je suis persuadé qu'il vous adore ; mais si quelqu'un
venait lui dire que son mariage peut être annulé, que sa femme
sera traduite en criminelle au ban de l'opinion publique...

— Il me défendrait ! monsieur.

— Non, madame.

30 — Quelle raison aurait-il de m'abandonner, monsieur ?

— Mais celle d'épouser la fille unique d'un pair de France,
dont la pairie lui serait transmise par ordonnance du Roi... »

La comtesse pâlit.

« Nous y sommes ! se dit en lui-même Derville. Bien, je te
35 tiens, l'affaire du pauvre colonel est gagnée. »

« D'ailleurs, madame, reprit-il à haute voix, il aurait d'autant
moins de remords, qu'un homme couvert de gloire, général,
comte, grand-officier de la Légion d'honneur, ne serait pas un
pis-aller ; et si cet homme lui redemande sa femme...

40 — Assez ! assez ! monsieur, dit-elle. Je n'aurai jamais que
vous pour avoué. Que faire ?

— Transiger ! dit Derville.

— M'aime-t-il encore ? dit-elle.

— Mais je ne crois pas qu'il puisse en être autrement. »

45 À ce mot, la comtesse dressa la tête. Un éclair d'espérance
brilla dans ses yeux ; elle comptait peut-être spéculer sur la
tendresse de son premier mari pour gagner son procès par quelque ruse de femme.

« J'attendrai vos ordres, madame, pour savoir s'il faut vous
50 signifier nos actes, ou si vous voulez venir chez moi pour arrêter
les bases d'une transaction », dit Derville en saluant la comtesse.

Huit jours après les deux visites que Derville avait faites, et par une belle matinée du mois de juin, les époux, désunis par un hasard presque surnaturel, partirent des deux points les plus
755 opposés de Paris, pour venir se rencontrer dans l'étude de leur avoué commun. Les avances qui furent largement faites par Derville au colonel Chabert lui avaient permis d'être vêtu selon son rang. Le défunt arriva donc voituré dans un cabriolet fort propre. Il avait la tête couverte d'une perruque appropriée à sa
760 physionomie, il était habillé de drap bleu, avait du linge blanc, et portait sous son gilet le sautoir rouge des grands-officiers de la Légion d'honneur. En reprenant les habitudes de l'aisance, il avait retrouvé son ancienne élégance martiale. Il se tenait droit. Sa figure, grave et mystérieuse, où se peignaient le bonheur de
765 toutes ses espérances, paraissait être rajeunie et plus grasse[1], pour emprunter à la peinture une de ses expressions les plus pittoresques. Il ne ressemblait pas plus au Chabert en vieux carrick, qu'un gros sou ne ressemble à une pièce de quarante francs nouvellement frappée. À le voir, les passants eussent
770 facilement reconnu en lui l'un de ces beaux débris de notre ancienne armée, un de ces hommes héroïques sur lesquels se reflète notre gloire nationale, et qui la représentent comme un éclat de glace illuminé par le soleil semble en réfléchir tous les rayons. Ces vieux soldats sont tout ensemble des tableaux et
775 des livres. Quand le comte descendit de sa voiture pour monter chez Derville, il sauta légèrement comme aurait pu faire un jeune homme. À peine son cabriolet avait-il retourné, qu'un joli coupé tout armorié arriva. Mme la comtesse Ferraud en sortit dans une toilette simple, mais habilement calculée pour montrer
780 la jeunesse de sa taille. Elle avait une jolie capote doublée de rose qui encadrait parfaitement sa figure, en dissimulait les contours, et la ravivait. Si les clients s'étaient rajeunis, l'étude était restée semblable à elle-même, et offrait alors le tableau par la description duquel cette histoire a commencé. Simonnin
785 déjeunait, l'épaule appuyée sur la fenêtre qui alors était ouverte ; et il regardait le bleu du ciel par l'ouverture de cette cour entourée de quatre corps de logis noirs.

---

1 *Plus grasse* : plus pleine. L'adjectif qualifie en effet une peinture exécutée à larges touches.

« Ha ! s'écria le petit clerc, qui veut parier un spectacle que le colonel Chabert est général, et cordon rouge ?

90 — Le patron est un fameux sorcier ! dit Godeschal.

— Il n'y a donc pas de tour à lui jouer cette fois ? demanda Desroches.

— C'est sa femme qui s'en charge, la comtesse Ferraud ! dit Boucard.

95 — Allons, dit Godeschal, la comtesse Ferraud serait donc obligée d'être à deux...

— La voilà ! » dit Simonnin.

En ce moment, le colonel entra et demanda Derville. « Il y est, monsieur le comte, répondit Simonnin.

300 — Tu n'es donc pas sourd, petit drôle ? » dit Chabert en prenant le saute-ruisseau par l'oreille et la lui tortillant à la satisfaction des clercs, qui se mirent à rire et regardèrent le colonel avec la curieuse considération due à ce singulier personnage.

305 Le comte Chabert était chez Derville, au moment où sa femme entra par la porte de l'étude.

« Dites donc, Boucard, il va se passer une singulière scène dans le cabinet du patron ! Voilà une femme qui peut aller les jours pairs chez le comte Ferraud et les jours impairs chez le

310 comte Chabert.

— Dans les années bissextiles, dit Godeschal, le compte y sera.

— Taisez-vous donc ! messieurs, l'on peut entendre, dit sévèrement Boucard ; je n'ai jamais vu d'étude où l'on plaisan-

315 tât, comme vous le faites, sur les clients. »

Derville avait consigné le colonel dans la chambre à coucher, quand la comtesse se présenta.

« Madame, lui dit-il, ne sachant pas s'il vous serait agréable de voir M. le comte Chabert, je vous ai séparés. Si cependant

320 vous désiriez...

— Monsieur, c'est une attention dont je vous remercie.

— J'ai préparé la minute d'un acte dont les conditions pourront être discutées par vous et par M. Chabert, séance tenante. J'irai alternativement de vous à lui, pour vous présenter, à l'un

325 et à l'autre, vos raisons respectives.

– Voyons, monsieur, dit la comtesse en laissant échapper un geste d'impatience.

Derville lut.

« Entre les soussignés,

830 « Monsieur Hyacinthe, *dit Chabert*, comte, maréchal de camp et grand-officier de la Légion d'honneur, demeurant à Paris, rue du Petit-Banquier, d'une part ;

« Et la dame Rose Chapotel, épouse de monsieur le comte Chabert, ci-dessus nommé, née...

835 – Passez, dit-elle, laissons les préambules, arrivons aux conditions.

– Madame, dit l'avoué, le préambule explique succinctement la position dans laquelle vous vous trouvez l'un et l'autre. Puis, par l'article premier, vous reconnaissez, en présence de 840 trois témoins, qui sont deux notaires et le nourrisseur chez lequel a demeuré votre mari, auxquels j'ai confié sous le secret votre affaire, et qui garderont le plus profond silence ; vous reconnaissez, dis-je, que l'individu désigné dans les actes joints au sous-seing[1], mais dont l'état se trouve d'ailleurs établi par 845 un acte de notoriété[2] préparé chez Alexandre Crottat, votre notaire, est le comte Chabert, votre premier époux. Par l'article second, le comte Chabert, dans l'intérêt de votre bonheur, s'engage à ne faire usage de ses droits que dans les cas prévus par l'acte lui-même. Et ces cas, dit Derville en faisant une sorte 850 de parenthèse, ne sont autres que la non-exécution des clauses de cette convention secrète. De son côté, reprit-il, M. Chabert consent à poursuivre de gré à gré[3] avec vous un jugement qui annulera son acte de décès et prononcera la dissolution de son mariage.

855 – Ça ne me convient pas du tout, dit la comtesse étonnée, je ne veux pas de procès. Vous savez pourquoi.

– Par l'article trois, dit l'avoué en continuant avec un flegme

---

1 *Sous-seing* : acte fait entre particuliers, sans l'intervention d'un officier public.
2 *Acte de notoriété* : témoignages enregistrés devant notaire et attestant un fait.
3 *De gré à gré* : à l'amiable.

imperturbable, vous vous engagez à constituer au nom d'Hyacinthe, comte Chabert, une rente viagère de vingt-quatre mille
860 francs, inscrite sur le grand-livre de la dette publique, mais dont
le capital vous sera dévolu à sa mort...

– Mais c'est beaucoup trop cher, dit la comtesse.

– Pouvez-vous transiger à meilleur marché ?

– Peut-être.

865 – Que voulez-vous donc, madame ?

– Je veux, je ne veux pas de procès, je veux...

– Qu'il reste mort, dit vivement Derville en l'interrompant.

– Monsieur, dit la comtesse, s'il faut vingt-quatre mille livres
de rente, nous plaiderons...

870 – Oui, nous plaiderons, s'écria d'une voix sourde le colonel
qui ouvrit la porte et apparut tout à coup devant sa femme, en
tenant une main dans un gilet et l'autre étendue vers le parquet,
geste auquel le souvenir de son aventure donnait une horrible
énergie.

875 – C'est lui, se dit en elle-même la comtesse.

– Trop cher ! reprit le vieux soldat. Je vous ai donné près
d'un million, et vous marchandez mon malheur. Hé bien, je
vous veux maintenant vous et votre fortune. Nous sommes
communs en biens, notre mariage n'a pas cessé...

880 – Mais monsieur n'est pas le colonel Chabert, s'écria la
comtesse en feignant la surprise.

– Ah ! dit le vieillard d'un ton profondément ironique, voulez-vous des preuves ? Je vous ai prise au Palais-Royal[1]... »

La comtesse pâlit. En la voyant pâlir sous son rouge, le vieux
885 soldat, touché de la vive souffrance qu'il imposait à une femme
jadis aimée avec ardeur, s'arrêta ; mais il en reçut un regard si
venimeux qu'il reprit tout à coup : « Vous étiez chez la...

– De grâce, monsieur, dit la comtesse à l'avoué, trouvez
bon que je quitte la place. Je ne suis pas venue ici pour enten-
890 dre de semblables horreurs.

Elle se leva et sortit. Derville s'élança dans l'étude. La
comtesse avait trouvé des ailes et s'était comme envolée. En

---

1 Le Palais-Royal était alors un lieu de prostitution.

Misant sur l'ambition du comte Ferraud, Derville obtient de la comtesse qu'elle vienne signer à son étude une transaction, c'est-à-dire un compromis. Chabert est également convoqué mais, pour éviter une confrontation gênante, il est prévu que les deux anciens époux ne se rencontrent pas.

RÉFLÉCHIR

Genres : *Une scène de vaudeville (☞ p. 142)*

1. Étudiez la mise en scène : distribution des rôles, échanges de répliques, entrées et sorties des personnages.

2. Derville a tout fait pour créer un effet théâtral : dans quelle intention ? Peut-on dire qu'il est parvenu à ses fins ?

3. Le coup de théâtre produit par la brusque apparition de Chabert était-il prévu ? La surprise de la comtesse est-elle totale ?

4. Montrez que tous les personnages jouent ici un rôle ; étudiez en particulier les gestes, les feintes, et les mimiques. À quel personnage historique l'attitude de Chabert fait-elle penser ?

Caractères : *L'affrontement de trois personnalités*

5. Que veut obtenir Derville ? Le procédé vous semble-t-il honnête ? À quoi tient l'échec de son entreprise ?

6. Quelle est l'attitude de la comtesse ? Appréciez ses changements de comportement. Quels éléments affaiblissent sa situation ? Mettez en valeur l'habileté de Derville.

7. Pourquoi Chabert entre-t-il si brusquement dans l'étude ? Montrez que sa présence change radicalement les rapports de force entre l'avoué et la comtesse. Dans quelle mesure faut-il reconnaître que Chabert commet une erreur ?

8. La métamorphose de Chabert : en retrouvant une certaine élégance, le vieux colonel n'a-t-il pas acquis aussi une autorité nouvelle ? Derville y est-il sensible ?

9. Sur quel terrain Chabert se place-t-il ? A-t-il changé de position à cet égard ? À quelles valeurs se réfère-t-il ?

10. Chabert avait-il prémédité son coup d'éclat ? Derville ne l'a-t-il pas rendu possible ? Pourquoi ?

11. Quelles sont les conséquences de l'irruption soudaine de Chabert ?

revenant dans son cabinet, l'avoué trouva le colonel dans un violent accès de rage, et se promenant à grands pas.

895 « Dans ce temps-là chacun prenait sa femme où il voulait, disait-il ; mais j'ai eu tort de la mal choisir, de me fier à des apparences. Elle n'a pas de cœur.

— Eh bien, colonel, n'avais-je pas raison en vous priant de ne pas venir ? Je suis maintenant certain de votre identité.
900 Quand vous vous êtes montré, la comtesse a fait un mouvement dont la pensée n'était pas équivoque. Mais vous avez perdu votre procès, votre femme sait que vous êtes méconnaissable !

— Je la tuerai...

— Folie ! vous serez pris et guillotiné comme un misérable.
905 D'ailleurs peut-être manquerez-vous votre coup ! ce serait impardonnable, on ne doit jamais manquer sa femme quand on veut la tuer. Laissez-moi réparer vos sottises, grand enfant ! Allez-vous-en. Prenez garde à vous, elle serait capable de vous faire tomber dans quelque piège et de vous enfermer à Charen-
910 ton. Je vais lui signifier nos actes afin de vous garantir de toute surprise.

Le pauvre colonel obéit à son jeune bienfaiteur, et sortit en lui balbutiant des excuses. Il descendait lentement les marches de l'escalier noir, perdu dans des sombres pensées, accablé
915 peut-être par le coup qu'il venait de recevoir, pour lui le plus cruel, le plus profondément enfoncé dans son cœur, lorsqu'il entendit, en parvenant au dernier palier, le frôlement d'une robe, et sa femme apparut.

« Venez, monsieur », lui dit-elle en lui prenant le bras par
920 un mouvement semblable à ceux qui lui étaient familiers autre-fois.

L'action de la comtesse, l'accent de sa voix redevenue gra-cieuse, suffirent pour calmer la colère du colonel, qui se laissa mener jusqu'à la voiture.

925 « Eh bien, montez donc ! » lui dit la comtesse quand le valet eut achevé de déplier le marchepied.

Et il se trouva, comme par enchantement, assis près de sa femme dans le coupé.

« Où va madame ? demanda le valet.
930 — À Groslay », dit-elle.

Les chevaux partirent et traversèrent tout Paris.

« Monsieur ! » dit la comtesse au colonel d'un son de voix qui révélait une de ces émotions rares dans la vie, et par lesquelles tout en nous est agité.

935 En ces moments, cœur, fibres, nerfs, physionomie, âme et corps, tout, chaque pore même tressaille. La vie semble ne plus être en nous ; elle en sort et jaillit, elle se communique comme une contagion, se transmet par le regard, par l'accent de la voix, par le geste, en imposant notre vouloir aux autres. Le vieux

940 soldat tressaillit en entendant ce seul mot, ce premier, ce terrible : « Monsieur ! » Mais aussi était-ce tout à la fois un reproche, une prière, un pardon, une espérance, un désespoir, une interrogation, une réponse. Ce mot comprenait tout. Il fallait être comédienne pour jeter tant d'éloquence, tant de sentiments

945 dans un mot. Le vrai n'est pas si complet dans son expression, il ne met pas tout en dehors, il laisse voir tout ce qui est audedans. Le colonel eut mille remords de ses soupçons, de ses demandes, de sa colère, et baissa les yeux pour ne pas laisser deviner son trouble.

950 « Monsieur, reprit la comtesse après une pause imperceptible, je vous ai bien reconnu !

– Rosine, dit le vieux soldat, ce mot contient le seul baume qui pût me faire oublier mes malheurs. »

Deux grosses larmes roulèrent toutes chaudes sur les mains

955 de sa femme, qu'il pressa pour exprimer une tendresse paternelle.

« Monsieur, reprit-elle, comment n'avez-vous pas deviné qu'il me coûtait horriblement de paraître devant un étranger dans une position aussi fausse que l'est la mienne ! Si j'ai à

960 rougir de ma situation, que ce ne soit au moins qu'en famille. Ce secret ne devait-il pas rester enseveli dans nos cœurs ? Vous m'absoudrez, j'espère, de mon indifférence apparente pour les malheurs d'un Chabert à l'existence duquel je ne devais pas croire. J'ai reçu vos lettres, dit-elle vivement, en lisant sur les

965 traits de son mari l'objection qui s'y exprimait, mais elles me parvinrent treize mois après la bataille d'Eylau ; elles étaient ouvertes, salies, l'écriture en était méconnaissable, et j'ai dû croire, après avoir obtenu la signature de Napoléon sur mon

---

SITUER

Chabert a gravement compromis ses chances en intervenant brutalement au milieu des négociations entreprises par Derville. Désemparé malgré les assurances de l'avoué, il quitte l'étude : sa femme qui l'attendait le rejoint au bas de l'immeuble.

RÉFLÉCHIR

Qui parle ? Qui voit ? *La présence du narrateur*

1. Relevez toutes les marques de la présence du narrateur (☞ p. 142). Quel rôle joue-t-il dans ce passage ?

2. Que pensez-vous de l'interprétation que propose l'auteur du mot « *Monsieur* » (l. 941-949) ?

3. Comment le narrateur parvient-il à nous mettre en garde contre les manières de la comtesse ? Quelles sont les limites de son objectivité ?

Tons : *Une scène émouvante*

4. L'émotion est-elle ici directement décrite ? Pourquoi ? Que pensez-vous du procédé ?

5. Étudiez le rythme de la deuxième phrase ; montrez qu'il épouse les pensées de Chabert. Quel effet produit la séquence finale ?

6. Analysez précisément les procédés de style (rythme, ton, figures) contribuant à faire de cette scène un moment capital et chargé d'émotion (l. 932 à 956).

7. Les deux époux ne se parlent pas sur le même ton : montrez que ce décalage crée un certain malaise chez le lecteur.

Stratégies : *Les armes de la comtesse*

8. Comment l'habileté de la comtesse est-elle soulignée dans cette scène ?

9. La comtesse prend facilement l'avantage ; justifiez l'ascendant qu'elle exerce sur le colonel.

10. Chabert se trouve dans un état de moindre résistance : expliquez pourquoi.

11. Étudiez le caractère ambigu que prennent les relations entre les anciens époux. Chabert est-il sensible à de telles nuances ?

12. Relevez tout ce qui dans le comportement de Chabert peut faire penser à un enfant.

13. Quel est le double sens du mot « *reconnu* » (ligne 951). En quoi ce mot peut-il apparaître comme le mot central de ce passage et peut-être de tout le roman ?

nouveau contrat de mariage, qu'un adroit intrigant voulait se
970 jouer de moi. Pour ne pas troubler le repos de M. le comte
Ferraud, et ne pas altérer les liens de la famille, j'ai donc dû
prendre des précautions contre un faux Chabert. N'avais-je pas
raison, dites ?

— Oui, tu as eu raison, c'est moi qui suis un sot, un animal,
975 une bête, de n'avoir pas su mieux calculer les conséquences
d'une situation semblable. Mais où allons-nous ? dit le colonel
en se voyant à la barrière de La Chapelle.

— À ma campagne, près de Groslay, dans la vallée de Mont-
morency. Là, monsieur, nous réfléchirons ensemble au parti
980 que nous devons prendre. Je connais mes devoirs. Si je suis à
vous en droit, je ne vous appartiens plus en fait. Pouvez-vous
désirer que nous devenions la fable de tout Paris ? N'instruisons
pas le public de cette situation qui pour moi présente un côté
ridicule, et sachons garder notre dignité. Vous m'aimez encore,
985 reprit-elle en jetant sur le colonel un regard triste et doux ; mais
moi, n'ai-je pas été autorisée à former d'autres liens ? En cette
singulière position, une voix secrète me dit d'espérer en votre
bonté qui m'est si connue. Aurais-je donc tort en vous prenant
pour seul et unique arbitre de mon sort ? Soyez juge et partie.
990 Je me confie à la noblesse de votre caractère. Vous aurez la
générosité de me pardonner les résultats de fautes innocentes.
Je vous l'avouerai donc, j'aime M. Ferraud. Je me suis crue en
droit de l'aimer. Je ne rougis pas de cet aveu devant vous ; s'il
vous offense, il ne nous déshonore point. Je ne puis vous cacher
995 les faits. Quand le hasard m'a laissée veuve, je n'étais pas mère. »

Le colonel fit un signe de main à sa femme, pour lui imposer
silence, et ils restèrent sans proférer un seul mot pendant une
demi-lieue. Chabert croyait voir les deux petits enfants devant
lui.

1000 « Rosine !

— Monsieur ?

— Les morts ont donc bien tort de revenir ?

— Oh ! monsieur, non, non ! Ne me croyez pas ingrate. Seulement, vous trouvez une amante, une mère, là où vous aviez
1005 laissé une épouse. S'il n'est plus en mon pouvoir de vous aimer,
je sais tout ce que je vous dois et puis vous offrir encore toutes
les affections d'une fille.

– Rosine, reprit le vieillard d'une voix douce, je n'ai plus aucun ressentiment contre toi. Nous oublierons tout, ajouta-t-il avec un de ces sourires dont la grâce est toujours le reflet d'une belle âme. Je ne suis pas assez peu délicat pour exiger les semblants de l'amour chez une femme qui n'aime plus. »

La comtesse lui lança un regard empreint d'une telle reconnaissance, que le pauvre Chabert aurait voulu rentrer dans sa fosse d'Eylau. Certains hommes ont une âme assez forte pour de tels dévouements, dont la récompense se trouve pour eux dans la certitude d'avoir fait le bonheur d'une personne aimée.

« Mon ami, nous parlerons de tout ceci plus tard et à cœur reposé », dit la comtesse.

La conversation prit un autre cours, car il était impossible de la continuer longtemps sur ce sujet. Quoique les deux époux revinssent souvent à leur situation bizarre, soit par des allusions, soit sérieusement, ils firent un charmant voyage, se rappelant les événements de leur union passée et les choses de l'Empire. La comtesse sut imprimer un charme doux à ces souvenirs, et répandit dans la conversation une teinte de mélancolie nécessaire pour y maintenir la gravité. Elle faisait revivre l'amour sans exciter aucun désir, et laissait entrevoir à son premier époux toutes les richesses morales qu'elle avait acquises, en tâchant de l'accoutumer à l'idée de restreindre son bonheur aux seules jouissances que goûte un père près d'une fille chérie. Le colonel avait connu la comtesse de l'Empire, il revoyait une comtesse de la Restauration. Enfin les deux époux arrivèrent par un chemin de traverse à un grand parc situé dans la petite vallée qui sépare les hauteurs de Margency du joli village de Groslay. La comtesse possédait là une délicieuse maison où le colonel vit, en arrivant, tous les apprêts que nécessitaient son séjour et celui de sa femme. Le malheur est une espèce de talisman dont la vertu consiste à corroborer notre constitution primitive : il augmente la défiance et la méchanceté chez certains hommes, comme il accroît la bonté de ceux qui ont un cœur excellent. L'infortune avait rendu le colonel encore plus secourable et meilleur qu'il ne l'avait été, il pouvait donc s'initier au secret des souffrances féminines qui sont inconnues à la plupart des hommes. Néanmoins, malgré son peu de défiance, il ne put s'empêcher de dire à sa femme : « Vous étiez donc bien sûre de m'emmener ici ?

— Oui, répondit-elle, si je trouvais le colonel Chabert dans le plaideur. »

1050 L'air de vérité qu'elle sut mettre dans cette réponse dissipa les légers soupçons que le colonel eut honte d'avoir conçus. Pendant trois jours la comtesse fut admirable près de son premier mari. Par de tendres soins et par sa constante douceur elle semblait vouloir effacer le souvenir des souffrances qu'il avait 1055 endurées, se faire pardonner les malheurs que, suivant ses aveux, elle avait innocemment causés ; elle se plaisait à déployer pour lui, tout en lui faisant apercevoir une sorte de mélancolie, les charmes auxquels elle le savait faible ; car nous sommes plus particulièrement accessibles à certaines façons, à des grâces de 1060 cœur ou d'esprit auxquelles nous ne résistons pas ; elle voulait l'intéresser à sa situation, et l'attendrir assez pour s'emparer de son esprit et disposer souverainement de lui. Décidée à tout pour arriver à ses fins, elle ne savait pas encore ce qu'elle devait faire de cet homme, mais certes elle voulait l'anéantir sociale-1065 ment. Le soir du troisième jour elle sentit que, malgré ses efforts, elle ne pouvait cacher les inquiétudes que lui causait le résultat de ses manœuvres. Pour se trouver un moment à l'aise, elle monta chez elle, s'assit à son secrétaire, déposa le masque de tranquillité qu'elle conservait devant le comte Chabert, comme 1070 une actrice qui, rentrant fatiguée dans sa loge après un cinquième acte pénible, tombe demi-morte et laisse dans la salle une image d'elle-même à laquelle elle ne ressemble plus. Elle se mit à finir une lettre commencée qu'elle écrivait à Delbecq, à qui elle disait d'aller, en son nom, demander chez Derville 1075 communication des actes qui concernaient le colonel Chabert, de les copier et de venir aussitôt la trouver à Groslay. À peine avait-elle achevé, qu'elle entendit dans le corridor le bruit des pas du colonel, qui, tout inquiet, venait la retrouver.

« Hélas ! dit-elle à haute voix, je voudrais être morte ! Ma 1080 situation est intolérable...

— Eh ! bien, qu'avez-vous donc ? demanda le bonhomme.

— Rien, rien », dit-elle.

Elle se leva, laissa le colonel et descendit pour parler sans

Le voyage à Groslay crée entre les deux anciens époux une étroite intimité, qui risquerait de devenir gênante si le charme du paysage ne les détournait un temps du cours de leurs pensées. Tous deux paraissent s'abandonner au charme du souvenir des jours heureux.

RÉFLÉCHIR

Tons : *La douceur d'une intimité retrouvée*

1. Pourquoi était-il *« impossible de continuer* [la conversation] *longtemps sur ce sujet »* (l. 1020-1021) ?

2. Si la comtesse reste égale à elle-même, Chabert change de ton au cours de la conversation. À quoi le voyez-vous ?

3. Analysez et justifiez le silence qui s'établit entre les deux époux.

4. Dans quelle mesure la nature contribue-t-elle à la douceur des retrouvailles ? Quel est ici l'avantage du récit sur le dialogue ?

5. Qu'est-ce qui ternit pourtant le bonheur de Chabert ? Expliquez sa réaction. Que révèle-t-elle de sa part ?

6. Étudiez la structure et le rythme des phrases. Comment Balzac parvient-il à évoquer le charme de ce moment d'exception ?

Stratégies : *Une femme à l'habileté consommée*

7. Quels termes montrent que la comtesse avait tout préparé pour agir sur Chabert ; ne commet-elle pas pourtant une erreur d'appréciation sur le colonel ?

8. Analysez le sens et l'emploi de *« charme »* et de ses dérivés dans le passage.

9. Comment interprétez-vous la dernière réplique de la comtesse ? coquetterie ? mise en garde ? Chabert est-il en état de comprendre les intentions secrètes de sa femme ?

Thèmes : *Les déformations du souvenir*

10. En quoi le malheur a-t-il changé le colonel Chabert ? La comtesse peut-elle être sensible à cette situation nouvelle ? Expliquez à cet égard le mot *« talisman »* (l. 1038).

11. La comtesse aussi a changé : Chabert, qui découvre sa transformation, en éprouve-t-il de la fierté ou de la déception ?

12. Est-il vraisemblable, à ce point du récit, que Chabert et la comtesse puissent reprendre leur vie commune ? Pourquoi ?

témoin à sa femme de chambre, qu'elle fit partir pour Paris, en
1085 lui recommandant de remettre elle-même à Delbecq la lettre
qu'elle venait d'écrire, et de la lui rapporter aussitôt qu'il l'aurait
lue. Puis la comtesse alla s'asseoir sur un banc où elle était assez
en vue pour que le colonel vînt l'y trouver aussitôt qu'il le
voudrait. Le colonel, qui déjà cherchait sa femme, accourut et
1090 s'assit près d'elle.

« Rosine, lui dit-il, qu'avez-vous ? »

Elle ne répondit pas. La soirée était une de ces soirées
magnifiques et calmes dont les secrètes harmonies répandent,
au mois de juin, tant de suavité dans les couchers du soleil. L'air
1095 était pur et le silence profond, en sorte que l'on pouvait entendre
dans le lointain du parc les voix de quelques enfants qui ajoutaient une sorte de mélodie aux sublimités du paysage.

« Vous ne me répondez pas ? demanda le colonel à sa
femme.

1100 — Mon mari... », dit la comtesse, qui s'arrêta, fit un mouvement, et s'interrompit pour lui demander en rougissant : « Comment dirai-je en parlant de M. le comte Ferraud ?

— Nomme-le ton mari, ma pauvre enfant, répondit le colonel avec un accent de bonté, n'est-ce pas le père de tes enfants ?

1105 — Eh bien, reprit-elle, si monsieur me demande ce que je
suis venue faire ici, s'il apprend que je m'y suis enfermée avec
un inconnu, que lui dirai-je ? Écoutez, monsieur, reprit-elle en
prenant une attitude pleine de dignité, décidez de mon sort, je
suis résignée à tout...

1110 — Ma chère, dit le colonel en s'emparant des mains de sa
femme, j'ai résolu de me sacrifier entièrement à votre bonheur...

— Cela est impossible, s'écria-t-elle en laissant échapper un
mouvement convulsif. Songez donc que vous devriez alors
renoncer à vous-même et d'une manière authentique[1]...

1115 — Comment, dit le colonel, ma parole ne vous suffit pas ? »

Le mot *authentique* tomba sur le cœur du vieillard et y
réveilla des défiances involontaires. Il jeta sur sa femme un
regard qui la fit rougir, elle baissa les yeux, et il eut peur de se

---

1 *D'une manière authentique* : par un acte notarié.

Marie Bell (**R**OSE **F**ERRAUD) et Raimu (**C**HABERT) dans le film de René Le Hénaff, 1943.

trouver obligé de la mépriser. La comtesse craignait d'avoir
1120 effarouché la sauvage pudeur, la probité sévère d'un homme
dont le caractère généreux, les vertus primitives lui étaient
connus. Quoique ces idées eussent répandu quelques nuages
sur leurs fronts, la bonne harmonie se rétablit aussitôt entre eux.
Voici comment. Un cri d'enfant retentit au loin.

1125 « Jules, laissez votre sœur tranquille, s'écria la comtesse.

– Quoi ! vos enfants sont ici ? dit le colonel.

– Oui, mais je leur ai défendu de vous importuner. »

Le vieux soldat comprit la délicatesse, le tact de femme
renfermé dans ce procédé si gracieux, et prit la main de la
1130 comtesse pour la baiser.

« Qu'ils viennent donc ! », dit-il.

La petite fille accourait pour se plaindre de son frère.

« Maman !

– Maman !

1135 – C'est lui qui...

– C'est elle. »

Les mains étaient étendues vers la mère, et les deux voix
enfantines se mêlaient. Ce fut un tableau soudain et délicieux !

« Pauvres enfants ! s'écria la comtesse en ne retenant plus
1140 ses larmes, il faudra les quitter ; à qui le jugement les donnera-
t-il ? On ne partage pas un cœur de mère, je les veux, moi !

– Est-ce vous qui faites pleurer maman ? dit Jules en jetant
un regard de colère au colonel.

– Taisez-vous, Jules », s'écria la mère d'un air impérieux.

1145 Les deux enfants restèrent debout et silencieux, examinant
leur mère et l'étranger avec une curiosité qu'il est impossible
d'exprimer par des paroles.

« Oh ! oui, reprit-elle, si l'on me sépare du comte, qu'on me
laisse les enfants, et je serai soumise à tout... »

1150 Ce fut un mot décisif qui obtint tout le succès qu'elle en
avait espéré.

« Oui, s'écria le colonel comme s'il achevait une phrase men-
talement commencée, je dois rentrer sous terre. Je me le suis
déjà dit.

1155 – Puis-je accepter un tel sacrifice ? répondit la comtesse. Si
quelques hommes sont morts pour sauver l'honneur de leur

maîtresse, ils n'ont donné leur vie qu'une fois. Mais ici vous donneriez votre vie tous les jours ! Non, non, cela est impossible. S'il ne s'agissait que de votre existence, ce ne serait rien ;
160 mais signer que vous n'êtes pas le colonel Chabert, reconnaître que vous êtes un imposteur, donner votre honneur, commettre un mensonge à toute heure du jour, le dévouement humain ne saurait aller jusque-là. Songez donc ! Non. Sans mes pauvres enfants, je me serais déjà enfuie avec vous au bout du monde...

165 — Mais, reprit Chabert, est-ce que je ne puis pas vivre ici, dans votre petit pavillon, comme un de vos parents ? Je suis usé comme un canon de rebut[1], il ne me faut qu'un peu de tabac et *Le Constitutionnel*[2]. »

La comtesse fondit en larmes. Il y eut entre la comtesse
170 Ferraud et le colonel Chabert un combat de générosité d'où le soldat sortit vainqueur. Un soir, en voyant cette mère au milieu de ses enfants, le soldat fut séduit par les touchantes grâces d'un tableau de famille, à la campagne, dans l'ombre et le silence ; il prit la résolution de rester mort, et, ne s'effrayant plus de
175 l'authenticité d'un acte, il demanda comment il fallait s'y prendre pour assurer irrévocablement le bonheur de cette famille.

« Faites comme vous voudrez ! lui répondit la comtesse, je vous déclare que je ne me mêlerai en rien de cette affaire. Je ne le dois pas. »

180 Delbecq était arrivé depuis quelques jours, et, suivant les instructions verbales de la comtesse, l'intendant avait su gagner la confiance du vieux militaire. Le lendemain matin donc, le colonel Chabert partit avec l'ancien avoué pour Saint-Leu-Taverny, où Delbecq avait fait préparer chez le notaire un acte
185 conçu en termes si crus que le colonel sortit brusquement de l'étude après en avoir entendu la lecture.

« Mille tonnerres ! je serais un joli coco ! Mais je passerais pour un faussaire, s'écria-t-il.

— Monsieur, lui dit Delbecq, je ne vous conseille pas de
190 signer trop vite. À votre place, je tirerais au moins trente mille livres de rente de ce procès-là, car madame les donnerait. »

---

1 *De rebut* : hors d'usage.
2 *Le Constitutionnel* : journal bonapartiste.

Après avoir foudroyé ce coquin émérite[1] par le lumineux regard de l'honnête homme indigné, le colonel s'enfuit emporté par mille sentiments contraires. Il redevint défiant, s'indigna, se calma tour à tour. Enfin il entra dans le parc de Groslay par la brèche d'un mur, et vint à pas lents se reposer et réfléchir à son aise dans un cabinet pratiqué sous un kiosque d'où l'on découvrait le chemin de Saint-Leu. L'allée étant sablée avec cette espèce de terre jaunâtre par laquelle on remplace le gravier de rivière, la comtesse, qui était assise dans le petit salon de cette espèce de pavillon, n'entendit pas le colonel, car elle était trop préoccupée du succès de son affaire pour prêter la moindre attention au léger bruit que fit son mari. Le vieux soldat n'aperçut pas non plus sa femme au-dessus de lui dans le petit pavillon.

« Hé bien, monsieur Delbecq, a-t-il signé ? demanda la comtesse à son intendant qu'elle vit seul sur le chemin par-dessus la haie d'un saut-de-loup[2].

— Non, madame. Je ne sais même pas ce que notre homme est devenu. Le vieux cheval s'est cabré.

— Il faudra donc finir par le mettre à Charenton, dit-elle, puisque nous le tenons. »

Le colonel, qui retrouva l'élasticité de la jeunesse pour franchir le saut-de-loup, fut en un clin d'œil devant l'intendant, auquel il appliqua la plus belle paire de soufflets qui jamais ait été reçue sur deux joues de procureur.

« Ajoute que les vieux chevaux savent ruer », lui dit-il.

Cette colère dissipée, le colonel ne se sentit plus la force de sauter le fossé. La vérité s'était montrée dans sa nudité. Le mot de la comtesse et la réponse de Delbecq avaient dévoilé le complot dont il allait être la victime. Les soins qui lui avaient été prodigués étaient une amorce pour le prendre dans un piège. Ce mot fut comme une goutte de quelque poison subtil qui détermina chez le vieux soldat le retour de ses douleurs et physiques et morales. Il revint vers le kiosque par la porte du parc,

---

1 *Émérite* : qui a fait ses preuves.
2 *Saut-de-loup* : fossé creusé au bout des allées d'un parc pour les fermer sans ôter la vue de la campagne.

en marchant lentement, comme un homme affaissé. Donc, ni paix ni trêve pour lui ! Dès ce moment il fallait commencer avec cette femme la guerre odieuse dont lui avait parlé Derville, entrer dans une vie de procès, se nourrir de fiel, boire chaque matin un calice d'amertume[1]. Puis, pensée affreuse, où trouver l'argent nécessaire pour payer les frais des premières instances ? Il lui prit un si grand dégoût de la vie, que s'il y avait eu de l'eau près de lui il s'y serait jeté, que s'il avait eu des pistolets il se serait brûlé la cervelle. Puis il retomba dans l'incertitude d'idées, qui, depuis sa conversation avec Derville chez le nourrisseur, avait changé son moral. Enfin, arrivé devant le kiosque, il monta dans le cabinet aérien dont les rosaces de verre offraient la vue de chacune des ravissantes perspectives de la vallée, et où il trouva sa femme assise sur une chaise. La comtesse examinait le paysage et gardait une contenance pleine de calme en montrant cette impénétrable physionomie que savent prendre les femmes déterminées à tout. Elle s'essuya les yeux comme si elle eût versé des pleurs, et joua par un geste distrait avec le long ruban rose de sa ceinture. Néanmoins, malgré son assurance apparente, elle ne put s'empêcher de frissonner en voyant devant elle son vénérable bienfaiteur, debout, les bras croisés, la figure pâle, le front sévère.

« Madame, dit-il après l'avoir regardée fixement pendant un moment et l'avoir forcée à rougir, madame, je ne vous maudis pas, je vous méprise. Maintenant, je remercie le hasard qui nous a désunis. Je ne sens même pas un désir de vengeance, je ne vous aime plus. Je ne veux rien de vous. Vivez tranquille sur la foi de ma parole, elle vaut mieux que les griffonnages de tous les notaires de Paris. Je ne réclamerai jamais le nom que j'ai peut-être illustré. Je ne suis plus qu'un pauvre diable nommé Hyacinthe, qui ne demande que sa place au soleil. Adieu... »

La comtesse se jeta aux pieds du colonel, et voulut le retenir en lui prenant les mains ; mais il la repoussa avec dégoût, en lui disant : « Ne me touchez pas. »

---

1 Allusion à la prière du Christ lors de sa Passion au mont des Oliviers : « *Père, si tu veux, écarte de moi cette coupe...* » . L'expression suggère la trahison et la solitude.

1260 La comtesse fit un geste intraduisible lorsqu'elle entendit le bruit des pas de son mari. Puis, avec la profonde perspicacité que donne une haute scélératesse ou le féroce égoïsme du monde, elle crut pouvoir vivre en paix sur la promesse et le mépris de ce loyal soldat.

1265 Chabert disparut en effet. Le nourrisseur fit faillite et devint cocher de cabriolet. Peut-être le colonel s'adonna-t-il d'abord à quelque industrie du même genre. Peut-être, semblable à une pierre lancée dans un gouffre, alla-t-il, de cascade en cascade, s'abîmer dans cette boue de haillons qui foisonne à travers les
1270 rues de Paris.

Encore indigné par les propositions que Delbecq vient de lui transmettre, Chabert revient à pied, seul, dans la propriété de sa femme.
Il surprend, entre la comtesse et son homme de confiance, une
conversation qui ne lui laisse plus aucun doute sur les sentiments
qu'on nourrit à son égard. Il abandonne alors la partie et fait ses
adieux à sa femme.

RÉFLÉCHIR

Genres : *Une scène de rupture*

1. À quel dilemme Chabert se heurte-t-il ? Le désir de vengeance
est-il toujours aussi vivace en lui ?

2. Que signifie le geste *« intraduisible »* (l. 1260) de la comtesse,
quand elle entend son mari s'éloigner ?

3. Quels sentiments traversent l'esprit de la comtesse pendant le
discours de Chabert ?

4. Chabert n'a-t-il pas commis des erreurs, ou du moins des impru-
dences ? Montrez que ces erreurs plaident en sa faveur.

Style : *Indignation et amertume*

5. Expliquez les comparaisons et les métaphores (☞ p. 141) du
passage. Qu'en tirez-vous ?

6. Étudiez précisément le rythme dans le discours de Chabert à sa
femme. Quel en est le ton ?

7. Analysez l'anaphore (☞ p. 141) dans le discours de Chabert. Ce
ton vous paraît-il habituel de la part du personnage ? Quel trait de
caractère révèle-t-il ?

Caractères : *Un homme brisé*

8. L'épreuve de la souffrance n'était-elle pas nécessaire pour amener
Chabert à renoncer définitivement à sa femme, à son nom, à son
titre ? Pourquoi ?

9. Chabert vous paraît-il sincère dans le discours qu'il tient à sa
femme ? Quel sentiment fait *« rougir »* (l. 1249) la comtesse ?

10. Comment Balzac signifie-t-il que la rupture avec la comtesse est
pour Chabert comme une seconde mort ?

11. Le colonel sort-il grandi de l'épreuve ?

12. Soulignez la différence de ton entre cette scène de rupture et la
scène des retrouvailles. Quel effet Balzac tire-t-il du parallélisme ?

13. Le regard de Raimu, sur la photographie de la page 87, est
extrêmement expressif. Quels sont, à votre avis, les sentiments qu'il
éprouve ? Pourquoi la comtesse a-t-elle ici les yeux fermés ? À quel
moment de l'action se situe-t-on selon vous ?

❏ La fin du conflit

1. La transaction est désormais définitivement compromise. Comparez l'acte qu'a proposé Derville à la comtesse et celui que la comtesse a préparé pour Chabert. Quelles sont les raisons de ces deux échecs ?

2. Définissez pour chacun des personnages (Chabert, Derville, la comtesse) le but qu'il a poursuivi, ce qu'il a obtenu dans la bataille et ce qu'il a perdu.

3. La comtesse Ferraud apparaît comme une femme machiavélique. Existe-t-il néanmoins des arguments pour sa défense ?

❏ Roman et théâtre

Balzac a longtemps rêvé de faire une carrière théâtrale (☞ p. 7), mais son génie était romanesque... Pourtant ses romans ont souvent une structure qui rappelle le théâtre.

4. Étudiez la progression de l'action, ses différentes étapes, ses articulations et ses temps forts.

5. Montrez en quoi le traitement de la matière romanesque est ici théâtral.

❏ L'art de la description

6. Un monde sépare le « *bivouac* » du colonel chez Louis Vergniaud et « *la salle à manger d'hiver* » où la comtesse accueille Derville. Appréciez l'effet de contraste.

7. Bien que l'avoué ait visité coup sur coup son « *client* » et l'« *adversaire* » de Chabert, Balzac interrompt la narration pour expliquer longuement la situation du comte Ferraud. Donnez la raison de ce choix.

8. Qu'ajoute la présence de Vergniaud à la description de la vacherie ?

◗ **Derville : l'artisan de la transaction**

9. Quels mobiles poussent Derville à défendre les intérêts de Chabert ?

10. Quelle attitude exige-t-il du colonel ? Pourquoi ?

11. Est-il aussi facile pour l'avoué de lire dans les pensées de Chabert et dans celles de son ancienne épouse ? À cet égard, comment faut-il compléter la phrase laissée en suspens au moment où Derville se met en route pour affronter la comtesse (l. 457, p. 64) ?

12. Derville est un homme de convictions : quels principes règlent sa conduite ? Étudiez en particulier son dévouement, sa générosité, son sens de l'équité.

◗ **L'art du récit**

13. Étudiez les techniques du récit dans cette partie du roman. Distinguez les différentes formes du récit : discours (dialogues et monologues), descriptions et portraits, narration (et rappel de faits antérieurs). Quel aspect Balzac a-t-il privilégié ici ?

14. À votre avis, le scénario comporte-t-il des longueurs ? des passages inutiles ? Lesquels ?

15. L'auteur aime les généralisations ; montrez que la distance prise par rapport aux événements permet de passer du cas Chabert à l'étude de mœurs.

Chapitre III
L'hospice de la vieillesse

Six mois après cet événement, Derville, qui n'entendait plus parler ni du colonel Chabert ni de la comtesse Ferraud, pensa qu'il était survenu sans doute entre eux une transaction, que, par vengeance, la comtesse avait fait dresser dans une autre
5 étude. Alors, un matin, il supputa les sommes avancées audit Chabert, y ajouta les frais, et pria la comtesse Ferraud de réclamer à monsieur le comte Chabert le montant de ce mémoire, en présumant qu'elle savait où se trouvait son premier mari.

Le lendemain même l'intendant du comte Ferraud, récem-
10 ment nommé président du tribunal de première instance dans une ville importante, écrivit à Derville ce mot désolant :

« Monsieur,

« Mme la comtesse Ferraud me charge de vous prévenir que votre client avait complètement abusé de votre confiance, et
15 que l'individu qui disait être le comte Chabert a reconnu avoir indûment pris de fausses qualités.

« Agréez, etc.

« DELBECQ. »

« On rencontre des gens qui sont aussi, ma parole d'hon-
20 neur, par trop bêtes. Ils ont volé le baptême[1], s'écria Derville. Soyez donc humain, généreux, philanthrope et avoué, vous vous faites enfoncer ! Voilà une affaire qui me coûte plus de deux billets de mille francs. »

Quelque temps après la réception de cette lettre, Derville
25 cherchait au Palais un avocat auquel il voulait parler, et qui plaidait à la Police correctionnelle. Le hasard voulut que Derville entrât à la Sixième Chambre au moment où le président condamnait comme vagabond le nommé Hyacinthe à deux mois

---

1 *Ils ont volé le baptême* : ils n'ont pas mérité de naître.

de prison, et ordonnait qu'il fût ensuite conduit au dépôt de
30   mendicité[1] de Saint-Denis, sentence qui, d'après la jurisprudence[2] des préfets de police, équivaut à une détention perpé-
tuelle. Au nom d'Hyacinthe, Derville regarda le délinquant assis
entre deux gendarmes sur le banc des prévenus, et reconnut,
dans la personne du condamné, son faux colonel Chabert. Le
35   vieux soldat était calme, immobile, presque distrait. Malgré ses
haillons, malgré sa misère empreinte sur sa physionomie, elle
déposait d'une noble fierté[3]. Son regard avait une expression
de stoïcisme qu'un magistrat n'aurait pas dû méconnaître ; mais,
dès qu'un homme tombe entre les mains de la justice, il n'est
40   plus qu'un être moral, une question de Droit ou de Fait, comme
aux yeux des statisticiens il devient un chiffre. Quand le soldat
fut reconduit au Greffe[4] pour être emmené plus tard avec la
fournée de vagabonds que l'on jugeait en ce moment, Derville
usa du droit qu'ont les avoués d'entrer partout au Palais,
45   l'accompagna au Greffe et l'y contempla pendant quelques instants, ainsi que les curieux mendiants parmi lesquels il se trouvait. L'antichambre du Greffe offrait alors un de ces spectacles
que malheureusement ni les législateurs, ni les philanthropes,
ni les peintres, ni les écrivains ne viennent étudier. Comme tous
50   les laboratoires de la chicane, cette antichambre est une pièce
obscure et puante, dont les murs sont garnis d'une banquette
en bois noirci par le séjour perpétuel des malheureux qui viennent à ce rendez-vous de toutes les misères sociales, et auquel
pas un d'eux ne manque. Un poète dirait que le jour a honte
55   d'éclairer ce terrible égout par lequel passent tant d'infortunes !
Il n'est pas une seule place où ne se soit assis quelque crime en
germe ou consommé ; pas un seul endroit où ne se soit rencontré quelque homme qui, désespéré par la légère flétrissure que
la justice avait imprimée à sa première faute, n'ait commencé
60   une existence au bout de laquelle devait se dresser la guillotine,

---

1 *Dépôt de mendicité* : prison où étaient enfermés les mendiants, mais aussi
les infirmes, les vieillards et les prostituées.
2 *Jurisprudence* : ici, l'usage, la pratique.
3 *Elle déposait d'une noble fierté* : elle attestait une noble fierté.
4 *Greffe* : bureau de justice.

ou détoner le pistolet du suicide. Tous ceux qui tombent sur le pavé de Paris rebondissent contre ces murailles jaunâtres, sur lesquelles un philanthrope qui ne serait pas un spéculateur pourrait déchiffrer la justification des nombreux suicides dont se
65 plaignent des écrivains hypocrites, incapables de faire un pas pour les prévenir, et qui se trouve écrite dans cette antichambre, espèce de préface pour les drames de la Morgue ou pour ceux de la place de Grève[1]. En ce moment le colonel Chabert s'assit au milieu de ces hommes à faces énergiques, vêtus des horribles
70 livrées de la misère, silencieux par intervalles, ou causant à voix basse, car trois gendarmes de faction se promenaient en faisant retentir leurs sabres sur le plancher.

« Me reconnaissez-vous ? dit Derville au vieux soldat en se plaçant devant lui.

75 — Oui, monsieur, répondit Chabert en se levant.

— Si vous êtes un honnête homme, reprit Derville à voix basse, comment avez-vous pu rester mon débiteur ? »

Le vieux soldat rougit comme aurait pu le faire une jeune fille accusée par sa mère d'un amour clandestin.

80 « Quoi ! Mme Ferraud ne vous a pas payé ? s'écria-t-il à haute voix.

— Payé ! dit Derville. Elle m'a écrit que vous étiez un intrigant. »

Le colonel leva les yeux par un sublime mouvement d'hor-
85 reur et d'imprécation, comme pour en appeler au ciel de cette tromperie nouvelle.

« Monsieur, dit-il d'une voix calme à force d'altération, obtenez des gendarmes la faveur de me laisser entrer au Greffe, je vais vous signer un mandat qui sera certainement acquitté. »

90 Sur un mot dit par Derville au brigadier, il lui fut permis d'emmener son client dans le Greffe, où Hyacinthe écrivit quelques lignes adressées à la comtesse Ferraud.

« Envoyez cela chez elle, dit le soldat, et vous serez remboursé de vos frais et de vos avances. Croyez, monsieur, que
95 si je ne vous ai pas témoigné la reconnaissance que je vous dois

---

1 Actuelle place de l'Hôtel de Ville, où se déroulaient, depuis le XIVe siècle, les exécutions publiques.

pour vos bons offices, elle n'en est pas moins là, dit-il en se mettant la main sur le cœur. Oui, elle est là, pleine et entière. Mais que peuvent les malheureux ? Ils aiment, voilà tout.

100 — Comment, lui dit Derville, n'avez-vous pas stipulé pour vous quelque rente ?

— Ne me parlez pas de cela ! répondit le vieux militaire. Vous ne pouvez pas savoir jusqu'où va mon mépris pour cette vie extérieure à laquelle tiennent la plupart des hommes. J'ai subitement été pris d'une maladie, le dégoût de l'humanité. 105 Quand je pense que Napoléon est à Sainte-Hélène, tout ici-bas m'est indifférent. Je ne puis plus être soldat, voilà tout mon malheur. Enfin, ajouta-t-il en faisant un geste plein d'enfantil-lage, il vaut mieux avoir du luxe dans ses sentiments que sur ses habits. Je ne crains, moi, le mépris de personne. »

110 Et le colonel alla se remettre sur son banc. Derville sortit. Quand il revint à son étude, il envoya Godeschal, alors second clerc, chez la comtesse Ferraud, qui, à la lecture du billet, fit immédiatement payer la somme due à l'avoué du comte Chabert.

115 En 1840[1], vers la fin du mois de juin, Godeschal, alors avoué, allait à Ris, en compagnie de Derville son prédécesseur. Lorsqu'ils parvinrent à l'avenue qui conduit de la grande route à Bicêtre, ils aperçurent sous un des ormes du chemin un de ces vieux pauvres chenus et cassés qui ont obtenu le bâton de 120 maréchal des mendiants en vivant à Bicêtre comme les femmes indigentes vivent à la Salpêtrière[2]. Cet homme, l'un des deux mille malheureux logés dans l'*Hospice de la Vieillesse*, était assis sur une borne et paraissait concentrer toute son intelligence dans une opération bien connue des invalides, et qui consiste à 125 faire sécher au soleil le tabac de leurs mouchoirs, pour éviter de les blanchir, peut-être. Ce vieillard avait une physionomie attachante. Il était vêtu de cette robe de drap rougeâtre que l'Hospice accorde à ses hôtes, espèce de livrée horrible.

---

1 À la date de 1832 (version parue en 1835), Balzac a substitué 1840 (Furne corrigé).
2 Bicêtre et la Salpêtrière étaient des « maisons de force », c'est-à-dire des asiles, comme le dépôt de mendicité de Saint-Denis (☞ note 1 p. 97).

« Tenez, Derville, dit Godeschal à son compagnon de
130 voyage, voyez donc ce vieux. Ne ressemble-t-il pas à ces grotesques[1] qui nous viennent d'Allemagne ? Et cela vit, et cela est
heureux peut-être ! »

Derville prit son lorgnon, regarda le pauvre, laissa échapper
un mouvement de surprise et dit : « Ce vieux-là, mon cher, est
135 tout un poème, ou, comme disent les romantiques, un drame.
As-tu rencontré quelquefois la comtesse Ferraud ?

– Oui, c'est une femme d'esprit et très agréable ; mais un
peu trop dévote, dit Godeschal.

– Ce vieux bicêtrien est son mari légitime, le comte Chabert,
140 l'ancien colonel, elle l'aura sans doute fait placer là. S'il est dans
cet hospice au lieu d'habiter un hôtel, c'est uniquement pour
avoir rappelé à la jolie comtesse Ferraud qu'il l'avait prise,
comme un fiacre, sur la place. Je me souviens encore du regard
de tigre qu'elle lui jeta dans ce moment-là. »

145 Ce début ayant excité la curiosité de Godeschal, Derville lui
raconta l'histoire qui précède. Deux jours après, le lundi matin,
en revenant à Paris, les deux amis jetèrent un coup d'œil sur
Bicêtre, et Derville proposa d'aller voir le colonel Chabert. À
moitié chemin de l'avenue, les deux amis trouvèrent assis sur
150 la souche d'un arbre abattu le vieillard qui tenait à la main un
bâton et s'amusait à tracer des raies sur le sable. En le regardant
attentivement, ils s'aperçurent qu'il venait de déjeuner autre
part qu'à l'établissement.

« Bonjour, colonel Chabert, lui dit Derville.

155 – Pas Chabert ! pas Chabert ! Je me nomme Hyacinthe,
répondit le vieillard. Je ne suis plus un homme, je suis le
numéro 164, septième salle », ajouta-t-il en regardant Derville
avec une anxiété peureuse, avec une crainte de vieillard et
d'enfant. « Vous allez voir le condamné à mort ? dit-il après un
160 moment de silence. Il n'est pas marié, lui ! Il est bien heureux.

– Pauvre homme, dit Godeschal. Voulez-vous de l'argent
pour acheter du tabac ? »

Avec toute la naïveté d'un gamin de Paris, le colonel tendit

---

1 *Grotesques* : personnages caricaturaux, tels qu'on en trouve peints sur les
chopes de bière allemandes.

La Maison des fous, détail de la lithographie du XIXᵉ siècle, d'après Kaulbach.

avidement la main à chacun des deux inconnus qui lui donnè-
165 rent une pièce de vingt francs ; il les remercia par un regard
stupide, en disant : « Braves troupiers ! » Il se mit au port
d'armes, feignit de les coucher en joue, et s'écria en souriant :
« Feu des deux pièces ! vive Napoléon ! » Et il décrivit en l'air
avec sa canne une arabesque imaginaire.

170   « Le genre de sa blessure l'aura fait tomber en enfance, dit
Derville.

– Lui en enfance ! s'écria un vieux bicêtrien qui les regardait. Ah ! il y a des jours où il ne faut pas lui marcher sur le
pied. C'est un vieux malin plein de philosophie et d'imagination.
175 Mais aujourd'hui, que voulez vous ? Il a fait le lundi[1]. Monsieur,
en 1820 il était déjà ici. Pour lors, un officier prussien, dont la
calèche montait la côte de Villejuif, vint à passer à pied. Nous
étions, nous deux Hyacinthe et moi, sur le bord de la route. Cet
officier causait en marchant avec un autre, avec un Russe, ou
180 quelque animal de la même espèce, lorsqu'en voyant l'ancien,
le Prussien, histoire de blaguer, lui dit : "Voilà un vieux volti-
geur qui devait être à Rosbach[2]. – J'étais trop jeune pour y être,
lui répondit-il, mais j'ai été assez vieux pour me trouver à Iéna[3]."
Pour lors le Prussien a filé, sans faire d'autres questions.

185   – Quelle destinée ! s'écria Derville. Sorti de l'hospice des
Enfants trouvés, il revient mourir à l'hospice de la *Vieillesse*, après
avoir, dans l'intervalle, aidé Napoléon à conquérir l'Égypte et
l'Europe. Savez-vous, mon cher, reprit Derville après une
pause, qu'il existe dans notre société trois hommes, le Prêtre,
190 le Médecin et l'Homme de justice, qui ne peuvent pas estimer
le monde ? Ils ont des robes noires, peut-être parce qu'ils por-
tent le deuil de toutes les vertus, de toutes les illusions. Le plus
malheureux des trois est l'avoué. Quand l'homme vient trouver
le prêtre, il arrive poussé par le repentir, par le remords, par
195 des croyances qui le rendent intéressant, qui le grandissent, et
consolent l'âme du médiateur, dont la tâche ne va pas sans une
sorte de jouissance : il purifie, il répare, et réconcilie. Mais, nous

---

1 *Il a fait le lundi* : il a fêté le dimanche et continué de boire le lendemain.
2 Victoire des Prussiens sur les Français, en 1757, sous Louis XV.
3 Victoire de l'armée de Napoléon sur les Prussiens, le 14 octobre 1806.

autres avoués, nous voyons se répéter les mêmes sentiments
mauvais, rien ne les corrige, nos études sont des égouts qu'on
200 ne peut pas curer. Combien de choses n'ai-je pas apprises en
exerçant ma charge ! J'ai vu mourir un père dans un grenier,
sans sou ni maille, abandonné par deux filles auxquelles il avait
donné quarante mille livres de rente[1] ! J'ai vu brûler des testaments ; j'ai vu des mères dépouillant leurs enfants, des maris
205 volant leurs femmes, des femmes tuant leurs maris en se servant
de l'amour qu'elles leur inspiraient pour les rendre fous ou
imbéciles, afin de vivre en paix avec un amant. J'ai vu des
femmes donnant à l'enfant d'un premier lit des goûts qui
devaient amener sa mort, afin d'enrichir l'enfant de l'amour[2].
210 Je ne puis vous dire tout ce que j'ai vu, car j'ai vu des crimes
contre lesquels la justice est impuissante. Enfin, toutes les horreurs que les romanciers croient inventer sont toujours au-
dessous de la vérité. Vous allez connaître ces jolies choses-là,
vous ; moi, je vais vivre à la campagne avec ma femme, Paris
215 me fait horreur. – J'en ai déjà bien vu chez Desroches », répondit Godeschal.

---

1 Allusion au *Père Goriot*, roman de Balzac publié en 1835.
2 Tout ce passage ajouté en 1840 fait allusion à différents romans de Balzac, permettant de rattacher *Le Colonel Chabert* à l'ensemble de *La Comédie
humaine* et notamment à *Ursule Mirouët* (1841, destruction d'un testament), *La Rabouilleuse* (1842, mort de Rouget)...

Plusieurs années ont passé. Au hasard d'une promenade à l'hospice de Bicêtre, Derville reconnaît le colonel. La vue du vieillard, de sa déchéance, éveille en lui des souvenirs et c'est tout naturellement, qu'il se lance dans une éloquente tirade où il passe en revue *« toutes les horreurs que les romanciers croient inventer »* et qu'il a pu côtoyer au cours de sa carrière.

RÉFLÉCHIR

Tons : *Un morceau de bravoure*

1. Caractérisez l'éloquence de Derville ; étudiez en particulier les figures de style, le rythme des phrases, l'anaphore (☞ p. 141). Quelles formes prend ici la tendance à la généralisation ? Pour quels effets ?

2. Trouvez-vous normal que ce soit Derville qui conclue le récit ? Que dénonce-t-il implicitement dans le saisissant raccourci qu'il présente du destin de Chabert (l. 185-187) ?

3. Expliquez précisément la métaphore : *« nos études sont des égouts qu'on ne peut pas curer »* (l. 199-200).

Caractères : *Un homme désabusé*

4. À quels aspects de l'être humain le prêtre, le médecin et l'homme de justice sont-ils respectivement confrontés ? Comment comprenez-vous le mot *« médiateur »* (l. 196) ?

5. À quel aspect de la vie sociale Derville s'intéresse-t-il surtout ici ?

6. Reconnaissez-vous derrière ces paroles amères le brillant avoué que nous avions rencontré au début du roman ?

7. Quelle relation convient-il d'établir entre la déchéance de Chabert et le pessimisme de Derville ?

8. Sur la lithographie de la page 101, un personnage se distingue nettement des autres. Lequel ? Expliquez en quoi (position, expression). Ressemble-t-il à l'idée que vous vous faites du colonel Chabert ?

Qui parle ? Qui voit ? *Le roman, témoin d'une époque*

9. Expliquez et justifiez les allusions de Derville à d'autres romans de *La Comédie humaine*.

10. En quoi le romancier est-il aussi d'une certaine façon un *« médiateur »* ?

11. Pourquoi peut-on affirmer que Derville est un double du romancier ?

POINT FINAL ?

◤ Le dénouement

1. Sur quelle impression refermons-nous le livre ?

2. Appréciez et justifiez le dénouement du drame auquel nous venons d'assister. L'histoire de Chabert pouvait-elle se terminer autrement ?

3. Combien de temps s'est écoulé depuis la dernière entrevue de l'avoué et de son client ? Comment le narrateur (☞ p. 142) rend-il sensible la fuite du temps ?

◤ L'intrigue

4. Comparez le début et la fin du roman. Qu'en concluez-vous ?

5. Dégagez précisément l'intrigue de l'histoire (☞ p. 124). Existe-t-il des péripéties secondaires ? Tirez argument de votre réponse pour vous prononcer sur le genre du récit : roman ? nouvelle ?

6. Les épisodes sont inégalement développés ; certains même sont volontairement laissés dans l'ombre. Justifiez avec précision les choix de Balzac.

7. Quels sont les personnages qui déclenchent et font progresser l'action ?

8. Balzac présente la vie de Chabert comme un « *drame* ». Justifiez cette appréciation par la structure du récit.

◤ Chabert : un homme en quête de son identité

9. Montrez que les réactions de Chabert sont souvent inattendues et parfois imprévisibles. Quelle explication l'auteur avance-t-il pour justifier cette mobilité d'humeur ? Dans quelle mesure la physiologie explique-t-elle l'état psychologique ?

10. Faites le portrait moral de Chabert. Comment nous apparaît-il à la fin de sa vie ? Reconstituez ses pensées à Bicêtre grâce aux confidences de ses camarades.

11. L'auteur souligne plus d'une fois les enfantillages de Chabert : que nous révèlent-ils sur la personnalité du vieux colonel ?

Derville, médecin de l'âme

12. Étudiez la place de Derville dans le roman. À quel moment l'action lui échappe-t-elle ? Quelles conséquences son effacement provisoire entraîne-t-il ?

13. Quel est, tout au long de l'histoire, le rôle joué par Derville auprès de Chabert ?

14. L'action de Derville se solde en apparence par un échec ; a-t-elle été pour autant inutile ?

15. Le texte comporte un certain nombre d'aphorismes (☞ p. 141). Relevez les plus significatifs et expliquez-les.

Le document sur une époque

16. Quels jugements Balzac porte-t-il sur la société de son temps ?

17. La politique occupe une place assez restreinte dans l'histoire de Chabert. Pouvons-nous, malgré tout, nous faire une idée des opinions politiques de l'auteur ?

18. Sur le plan moral, qu'est-ce qui oppose l'Empire à la Restauration ?

L'UNIVERS DE L'ŒUVRE

≈

Dossier documentaire et pédagogique

Le roman et le journal

Le livre au XIXᵉ siècle

La première moitié du XIXᵉ siècle est une période d'augmentation considérable de la diffusion de l'écrit : multiplication des titres, accroissement des tirages. Avec le développement de l'instruction, la multiplication des écoles primaires et des écoliers, les lecteurs potentiels se font de plus en plus nombreux. Reste cependant le critère économique : le livre est une denrée chère, de même que le journal, qui ne se vend que par abonnement.

Le cabinet de lecture, sorte d'ancêtre des clubs du livre et de nos bibliothèques municipales, apportait une réponse à la cherté du livre, et lui permettait de toucher un public assez nombreux en offrant à ses adhérents la possibilité de venir lire ou d'emporter chez eux livres, journaux et revues. Par ailleurs, une partie croissante de la littérature, et en particulier le roman, se diffuse par l'intermédiaire de la presse. C'est la naissance du roman-feuilleton, un genre que Balzac a beaucoup pratiqué, puisque des œuvres majeures comme *Illusions perdues* (1843) et *Splendeurs et misères des courtisanes* (1847) ont d'abord été publiées en feuilleton ; ce qui n'est pas sans influence sur son mode de création romanesque...

L'écrivain

Le statut de l'écrivain subit lui aussi une modification en profondeur de ce nouvel état de choses. En effet, l'écrivain du XVIᵉ ou du XVIIᵉ siècle ne touchait rien de la vente de ses livres, et était contraint, si sa position sociale et financière l'y obligeait, de demander à un riche et puissant protecteur d'assurer sa subsistance. Les droits d'auteur n'existaient pas. Au contraire, à l'époque de Balzac, le livre est devenu une véritable marchandise, et rapporte à son auteur une partie de l'argent de sa vente. C'est ainsi que Balzac, ruiné par sa tentative malheureuse de se faire imprimeur[1], criblé de dettes et menant cependant grande vie, se mit à écrire pour vivre, et vendait par avance des romans qu'il n'avait pas même commencé à écrire.

---

1 ☞ p. 7.

La Comédie humaine est pour partie le produit de ces contraintes financières.

La publication du *Colonel Chabert*

La première version imprimée du *Colonel Chabert* parut en quatre « livraisons », en février-mars 1832, dans l'hebdomadaire *L'Artiste*. La nouvelle s'intitulait *La Transaction* et le texte était alors divisé en quatre chapitres plus une conclusion : *Scène d'étude* (p. 10 à 24), *La Résurrection* (p. 24 à 45), *Les Deux visites* (p. 48 à 74), *L'hospice de la vieillesse* (p. 74 à 99), *Conclusion* (p. 99 à 103).

La seconde version parut en 1835, au tome XII des *Études de mœurs au XIXᵉ siècle* (première « version » de *La Comédie humaine*), dans la section des *Scènes de la vie parisienne*. Le roman, partiellement remanié, s'intitulait *La Comtesse à deux maris* et le texte était divisé en trois chapitres : *Une étude d'avoué*, *La transaction*, *L'hospice de la vieillesse*. Ces trois parties sont reprises dans la présente édition.

Enfin, une troisième version parut en 1844, dans l'édition Furne de *La Comédie humaine*, sous le titre *Le Colonel Chabert*. Tout découpage du texte en chapitres a disparu.

En 1845, Balzac composa un catalogue où il indiquait l'ordre nouveau de composition qu'il entendait donner à *La Comédie humaine*. *Le Colonel Chabert* y figure dans la section des *Scènes de la vie privée*.

Ces questions de titre et de place de l'œuvre dans la somme que constitue *La Comédie humaine* orientent la réception de l'œuvre par son public. De « *La Transaction* » au « *Colonel Chabert* », des « *Scènes de la vie parisienne* » aux « *Scènes de la vie privée* », l'élément mis en avant s'est déplacé de la dimension sociale et juridique à la dimension individuelle et humaine, du cas d'espèce au destin d'un personnage. Aucun de ces aspects ne cesse pour autant de concourir à la signification globale de l'œuvre.

Enfin Balzac a laissé, sur son exemplaire personnel de *La Comédie humaine*, les dernières corrections qu'il souhaitait apporter à son œuvre. C'est cet exemplaire, appelé par les spécialistes le « Furne corrigé », qui sert généralement de base à l'établissement des textes de Balzac et c'est celui que nous suivons ici.

L'Empire et la Restauration dans
Le Colonel Chabert

L'histoire du colonel Chabert, un homme que tout le monde croit ou veut croire mort au combat, est presque un mythe, c'est-à-dire une histoire intemporelle qui décrit une situation humaine fondamentale. Cependant, et c'est en cela qu'elle est un roman, cette histoire s'inscrit très fortement dans une réalité historique précise. De ce point de vue, *Le Colonel Chabert* est l'histoire d'un homme de l'Empire, qui n'arrive pas à trouver sa place dans un monde qui a changé, celui de la Restauration.

On appelle Restauration la période qui couvre les années 1815-1830 parce qu'elle correspond sur le plan politique à la restauration du pouvoir monarchique et au retour de la dynastie des Bourbons. Ceux-ci ont régné en France depuis l'avènement d'Henri IV en 1589, jusqu'à la Révolution et la mort de Louis XVI, le 21 janvier 1793. La Restauration marque une rupture par rapport à la période précédente de la Révolution et de l'Empire et, pour une partie de la société, la volonté d'oublier l'épisode napoléonien et la période révolutionnaire.

Napoléon et L'Empire

Napoléon au pouvoir

Bonaparte est d'abord un homme de guerre et un homme de la Révolution. Jeune général de l'armée révolutionnaire, il est nommé Chef de l'armée d'Italie en 1796 (c'est à Ravenne que Boutin sauve la vie au colonel Chabert, p. 39), et remporte alors de nombreuses victoires. Auréolé de ce prestige, et de celui de la campagne d'Égypte en 1798 (le colonel puis Vergniaud, le nourrisseur qui héberge Chabert, y font allusion, p. 55 et p. 63), il s'empare du pouvoir par un coup d'État, le 18 brumaire an VIII (9 novembre 1799), et fonde le Consulat. En 1802, il devient consul à vie puis est sacré Empereur des Français le 2 décembre 1804.

Issu de la Révolution, le pouvoir napoléonien est, comme elle, contesté par les souverains étrangers, auprès desquels une grande partie de la noblesse française, ceux qu'on appelle les émigrés, se sont réfugiés dès 1789. Pour cette raison, et aussi à cause du tempérament et de l'ambition de Napoléon, la France est continuellement en guerre pendant l'Empire ; elle s'agrandit et étend sa domination sur une partie de l'Europe (Hollande, Italie, Allemagne, Espagne, Suisse). Le colonel Chabert fait ainsi remarquer à Derville qu'il a *« roulé sur le globe comme roulent dans l'Océan les cailloux emportés d'un rivage à l'autre par les tempêtes »*. Avec Boutin, ils ont *« vu l'Égypte, la Syrie, l'Espagne, la Russie, la Hollande, l'Allemagne, l'Italie... »* (p. 39). Les batailles remportées par l'armée napoléonienne, la « Grande Armée », témoignent, par l'éclat de leurs noms, du prestige dont elles jouissaient : Austerlitz (1805), Iéna (1806), Friedland (1807), Wagram (1809).

Ces victoires successives font de l'armée de Napoléon un modèle de courage, de bravoure et d'endurance. Napoléon est réputé avoir été un chef d'armée exceptionnel qui exerçait sur les soldats un ascendant incomparable, n'hésitant pas à bivouaquer avec eux, à leur parler directement et à leur expliquer, parfois en personne, les plans d'attaque qu'il avait prévus.

L'importance de la guerre dans le régime napoléonien explique l'étroitesse des liens qui unissaient la société de l'Empire et l'armée. Napoléon entretenait la fidélité de ses officiers par diverses récompenses, comme la Légion d'honneur, ou par des titres, des grades, de l'argent. Le colonel Chabert symbolise le type même de l'officier napoléonien. Fait comte d'Empire, il doit son nom, son titre et toute sa fortune à Napoléon (p. 40). Il est *« grand-officier de la Légion d'honneur »* (p. 60) et sa dernière victoire militaire aurait dû lui rapporter le titre de général (p. 56).

Eylau, un symbole ambigu ?

Cependant, le colonel Chabert est un emblème pour le moins équivoque du mythe napoléonien. En effet, la bataille d'Eylau, qui est son titre de gloire le plus manifeste, n'a pas l'éclat sans partage des autres batailles, comme celle d'Austerlitz par exemple. Livrée contre les Russes, le 8 février 1807, elle passe pour avoir été une boucherie inutile. 25 000 Russes et plus de 15 000 Français y trouvèrent la mort au milieu d'une tempête de neige qui empêchait presque toute visibilité. La bataille commença mal pour les Français qui perdirent presque entièrement le corps d'armée du général Augereau. La charge de Murat, à laquelle fait allusion le colonel Chabert dans son récit à Derville (p. 29) décida du sort de la bataille ; mais la victoire décisive de Napoléon contre le tsar de Russie n'eut lieu qu'en juin 1807, à la bataille de Friedland. Enfin, le massacre, la neige, l'abandon tels qu'ils sont suggérés dans le récit du colonel Chabert font presque penser, par anticipation, aux moments les plus noirs de la légende napoléonienne : la campagne de Russie ou Waterloo.

D'autre part, les malheurs de Chabert sont en partie liés à l'attitude ambiguë de Napoléon vis-à-vis de l'ancienne noblesse. En effet, la noblesse impériale, si elle n'avait rien à envier à la noblesse d'Ancien Régime pour le faste de son apparat, n'avait pourtant, à en croire les contemporains, ni sa grâce, ni son esprit. C'est la raison pour laquelle Napoléon chercha à se rapprocher de cette noblesse d'Ancien Régime qui s'était repliée sur elle-même dans le quartier du faubourg Saint-Germain, et dont le comte Ferraud est un représentant : « *Fils d'un ancien Conseiller au Parlement de Paris* », le comte Ferraud appartient à « *cette partie du faubourg Saint-Germain qui résista noblement aux séductions de Napoléon* » (p. 65). Après avoir déclaré Chabert mort et avoir fait « *complimenter* » sa veuve par un aide de camp, Napoléon, « *heureux de ce mariage qui répondait à ses idées de fusion* », « *rendit à Mme Chabert la portion dont héritait le fisc dans la succession du colonel* » (p. 65). Comme on le voit, l'intérêt de Napoléon dans cette histoire s'accommode assez bien de la disparition de son « *cher colonel* ».

Jusqu'en 1810, l'Empire semble à son apogée. Puis les signes de son déclin se multiplient, avec la constitution des différentes coalitions européennes, la désastreuse campagne de Russie en 1812, où l'armée napoléonienne perd plus de 500 000 hommes, l'invasion des Alliés en 1814, parmi lesquels les Cosaques de l'armée russe dont Chabert a gardé le souvenir : « *J'entrai à Paris en même temps que les Cosaques* » dit-il à Derville (p. 40). Et c'est la chute de Napoléon et de l'Empire. Le retour des Bourbons en la personne du roi Louis XVIII, inaugure la Restauration après l'abdication de Napoléon le 6 avril 1814. D'abord exilé sur l'île d'Elbe, au large de la Toscane, Napoléon essaya, en mars 1815, de reprendre le pouvoir. Mais les États européens refusèrent de reconnaître son retour. La guerre, de nouveau, était inévitable et le combat se solda par la bataille de Waterloo, le 18 juin 1815, où Napoléon fut vaincu. Il abdiqua une seconde fois le 22 juin 1815.

La Restauration et la négation de l'Empire

Le nouveau régime n'est évidemment pas un simple retour à la monarchie d'avant la Révolution. La monarchie sous la Restauration est constitutionnelle, c'est-à-dire que la loi n'émane pas du seul pouvoir royal, mais qu'elle est fondée sur une Constitution, la Charte que Louis XVIII promulgue en juin 1814 et qui institue la Chambre des pairs, la Chambre des députés et le suffrage censitaire. Le terme de Restauration, en revanche, nous montre bien que le nouveau régime, appuyé sur la noblesse, entend rompre avec ce qui le précède immédiatement et a l'intention de restaurer, autant qu'il le peut, l'ordre ancien.

La chute de l'Empire est vécue comme un soulagement, marquant le retour à la paix et la fin des guerres interminables et meutrières de Napoléon. Les nobles de l'Ancien Régime et en particulier les émigrés profitent clairement du retour à la monarchie. Réintégrés dans la société, placés aux postes de commande de l'État ou dans l'entourage royal, ils sont les grands gagnants du retour de Louis XVIII qui les favorise. Tel est le sens de l'ordonnance de 1814, par laquelle Louis XVIII restituait aux émigrés les Biens nationaux confisqués aux nobles par la Révolution, dans le cas où ils n'avaient pas été vendus. C'est essentiellement la noblesse qui dirige la vie politique française et l'administration. Le comte Ferraud qui est « conseiller d'État », « directeur général » et qui espère bien être nommé pair de France par la faveur royale en est un bon exemple.

Les grands perdants sont bien évidemment ceux qui étaient proches du pouvoir napoléonien et en particulier les cadres de l'armée, dont Chabert fait partie. Dès l'arrivée au pouvoir de Louis XVIII et le rétablissement de la paix, 12 000 officiers sont écartés, mis à la retraite et ne reçoivent plus que la moitié de leur solde. Le désarroi de ces anciens combattants, qui jouaient un rôle fondamental dans l'Ancien Régime et qui ne sont plus rien dans le nouveau, explique en partie que Napoléon ait pu reprendre un moment le pouvoir. Balzac exploitera d'ailleurs ce thème dans *La Rabouilleuse* (1841), qui met en scène les méfaits de deux anciens soldats de l'Empire forcés à l'inactivité.

Pur produit de l'armée napoléonienne et de la société de l'Empire, **Chabert n'a plus aucune place dans la société de la Restauration.** Enfant trouvé, il doit tout ce qu'il est à sa carrière d'officier dans l'armée de l'Empire et à Napoléon : « *Si j'avais eu des parents, tout cela ne serait peut-être pas arrivé ; mais, il faut vous l'avouer, je suis un enfant d'hôpital, un soldat qui pour patrimoine avait son courage, pour famille tout le monde, pour patrie la France, pour tout protecteur le bon Dieu. Je me trompe ! j'avais un père, l'Empereur !* » (p. 39-40).

Le discours qu'il tient, tout entier à la gloire de l'Empereur, n'a plus sa place à une époque et dans une société où Napoléon est décrié, détesté, honni. *« Tous les préjugés de la Restauration, tous ses instincts tendaient à défigurer Napoléon. Elle l'exécrait plus encore que Robespierre. Elle avait exploité assez habilement la fatigue de la nation et la haine des mères »* dira Victor Hugo dans *Les Misérables* (1862). Le nom de Napoléon d'ailleurs n'est même plus prononcé, on l'appelle Bonaparte, comme pour effacer jusqu'au souvenir de son règne : *« Bonaparte m'a fait complimenter sur sa mort par un aide de camp »* dit la comtesse Ferraud à Derville (p. 71). Bonaparte est même désigné par le notaire Crottat comme *« le monstre qui gouvernait alors la France »* (p. 49).

La mésaventure de Chabert va donc dans le sens de l'Histoire : *« "Les bureaux ! dit Derville. Allez-y, mais avec un jugement bien en règle qui déclare nul votre acte de décès. Les bureaux voudraient pouvoir anéantir les gens de l'Empire". Le colonel resta pendant un moment interdit, immobile, regardant sans voir, abîmé dans un désespoir sans bornes »* (p. 61).

Cependant, la dénonciation de l'injustice dont Chabert est l'objet s'inscrit bien dans le mouvement de réhabilitation de l'Empereur, qui commence en réalité après sa mort en 1821 avec la publication du *Mémorial de Sainte-Hélène* par Las Cases en 1823 et culmine en 1840, lors du retour à Paris des cendres de Napoléon. En effet, si l'action du *Colonel Chabert* se déroule pour l'essentiel en 1819, le roman est publié dans sa première version en 1832, un an avant *Le Médecin de campagne*, où un vieux soldat de l'Empire, Goguelat, célèbre la gloire de l'épopée impériale.

Le Code civil, un héritage napoléonien

Naissance du Code civil

Pour conspué qu'il ait été sous la Restauration, l'Empire n'en a pas moins été une étape fondamentale dans la constitution de la société du XIXe siècle, celle que Balzac ne cesse d'observer et d'évoquer dans *La Comédie humaine*. Il s'efforce en particulier de fonder un État centralisé et organisé, pour unifier l'arsenal des lois et des coutumes, qui constituaient, jusqu'à la Révolution française, un ensemble très composite.

Le Code civil, qu'on appelait de manière révélatrice au XIXe siècle « Code Napoléon », est la première constitution civile de tous les Français et représente une tentative réussie d'uniformisation du droit

Le Code Napoléon : présentation du Code civil à l'impératrice, 1807, gravure de François-Anne David (1741-1824) d'après un dessin de Charles Monnet (1732-1808).

en France. Il reprend et applique la Déclaration des droits de l'homme et du citoyen proclamée par la Révolution française.

La France était jusqu'à la Révolution, si l'on veut bien simplifier, régie dans sa partie nord par un ensemble d'us et de coutumes régionaux, qui constituaient ce qu'on appelle le « droit coutumier ». Pour ce qui est de sa moitié sud, la France était régie par un corpus de droit écrit, influencé par le droit romain. La tâche qui consistait à réunir l'ensemble de ces règles dispersées, en y intégrant éventuellement des ordonnances royales et des apports de la législation révolutionnaire, était considérable, et les différentes Assemblées de la Révolution n'avaient jamais réussi à la mener à son terme. En 1800, Bonaparte charge une commission de préparer un projet de Code civil qui sera terminé en 1804.

Homme de l'ancien droit, d'un droit morcelé, Chabert ne peut se faire à l'idée que ses actions relèvent d'une norme juridique commune. Homme d'armée, il se figure relever d'un droit d'exception, ou plutôt même d'une sorte de code moral fondé sur les valeurs de l'honneur, de la bravoure et de la fidélité. Or, précisément, le Code civil ne formule pas tant une morale que des obligations juridiquement sanctionnables. Ici encore, Chabert méconnaît le sens de l'Histoire. Par contre, Derville, qui est beaucoup plus jeune que Chabert puisqu'il n'a que 25 ans quand il reçoit le colonel, représente la nouvelle conception du droit. Avec probité, compassion et générosité, il tente de défendre son client en se fondant sur le Code Napoléon : « *Dans votre cause, le point de droit est en dehors du code* » (p. 56), reconnaît-il cependant.

La Transaction

Il est tout à fait révélateur que Balzac ait tout d'abord intitulé son roman *La Transaction*[1]. L'histoire du *Colonel Chabert* est l'histoire d'une transaction qui échoue.

C'est à une transaction que Derville veut amener Chabert et sa femme, c'est encore à une transaction, sous la forme d'un acte notarié, que la comtesse Ferraud veut pousser son mari. À cet égard, il n'est pas inutile de relever que le Code civil est le résultat d'une transaction entre le droit révolutionnaire et la réaction post-thermidorienne (1795). L'esprit même du Code civil est l'esprit de transaction, entre des courants différents, entre des idéologies différentes.

---

1 ☞ p. 109.

Par ailleurs, la notion même de transaction est prévue par le Code dont l'article 2044 est ainsi rédigé : « *La transaction est un contrat par lequel les parties terminent une contestation née, ou préviennent une contestation à naître. Ce contrat doit être rédigé par écrit.* »

La vision du droit que Balzac donne dans *Le Colonel Chabert* est à la fois technique et romanesque. La transaction proposée par Derville et l'acte, resté mystérieux pour nous, entre les deux époux qui précipite le dénouement de l'action mais dont le lecteur ignore les termes exacts (« *Delbecq avait fait préparer chez le notaire un acte conçu en termes si crus que le colonel sortit brusquement de l'étude après en avoir entendu la lecture* », p. 89) sont autant de tentatives pour les personnages de sortir du Droit, en touchant à ce que l'individu possède de plus inaliénable : son identité. Mais le Droit est plus fort que le réel lui-même, et finalement Chabert renonce à toute forme de transaction, renonce à lui-même. Il est littéralement aliéné, c'est-à-dire en termes juridiques, privé de ses droits et de son existence légale. Balzac exprime ainsi la contrainte et la peur que peut représenter cette manière nouvelle qu'a eue le Code civil de définir les rapports de la société et de l'identité individuelle avec le droit.

Le Code, le père et la famille

Entre autres principes fondamentaux, le Code Napoléon affirmait nettement le principe patriarcal, l'autorité du père sur la femme et les enfants. L'article 212 déclare en effet : « *Le mari doit protection à sa femme, la femme obéissance à son mari.* » C'est en partie au nom de ce principe que Derville déconseille à Chabert de plaider : « *Vous n'avez pas eu d'enfant de votre mariage, et M. le comte Ferraud en a deux du sien, les juges peuvent déclarer nul le mariage où se rencontrent les liens les plus faibles, au profit du mariage qui en comporte de plus forts, du moment où il y a eu bonne foi chez les contractants* » (p. 56).

L'argument juridique, tout à fait conforme en réalité au Code civil malgré la réserve exprimée par Derville : « *Dans votre cause, le point de droit est en dehors du code et ne peut être jugé par les juges que suivant les lois de la conscience* » (p. 56), rejoint donc la question de la paternité. Lucienne Frappier-Mazure[1] a montré, dans un article comparant quatre courts récits de Balzac, qu'au plan symbolique, la

---

1 Lucienne Frappier-Mazure, « Fortune et filiation dans quatre nouvelles de Balzac », *Littérature* n° 29, 1978. L'article concerne *Gobseck*, *Le Contrat de mariage*, *L'Interdiction*, et *Le Colonel Chabert*.

spoliation du mari par sa femme et l'appropriation par elle de la fortune commune, dans le cas où leur mariage n'avait pas été légitimé par des enfants, exprimaient la prépondérance d'un ordre patriarcal incontesté, et relevaient d'un principe appartenant à l'idéologie féodale aussi bien qu'à l'idéologie bourgeoise du XIXe xiècle. En d'autres termes, Chabert est condamné à disparaître pour plusieurs raisons : parce qu'il est privé du nom de son père (c'est un enfant trouvé) ; parce qu'aucun fils ne lui permet de transmettre le nom que sa bravoure lui a acquis ; parce que son père de substitution, Napoléon, a disparu : « *J'avais un père, l'Empereur ! Ah ! s'il était debout, le cher homme ! et qu'il vît* son Chabert, *comme il me nommait, dans l'état où je suis, mais il se mettrait en colère* » (p. 40).

De la nouvelle au roman

Un récit inclassable ?

Récit de dimension moyenne, *Le Colonel Chabert* est concurremment désigné par la critique comme une nouvelle ou comme un roman. La distinction entre les deux genres n'est pas évidente, le récit de Balzac semble justement se tenir dans la « zone de contact » entre les deux genres.

Au Moyen Âge, le terme de roman, qui désigne un récit fictif fait en français, s'emploie indifféremment avec les termes de conte, nouvelle, histoire. Le terme de nouvelle, dont l'usage se spécifie aux XVIᵉ et XVIIᵉ siècles, désignerait plutôt un récit court, présentant un événement vrai ou vraisemblable, lié à l'histoire, et limité à lui-même. Mais il est difficile de déterminer précisément et de manière indiscutable les critères distinctifs du genre, et celui de la longueur est le seul qu'on puisse absolument retenir, encore que la limite soit difficile à tracer.

Au XIXᵉ siècle, où le roman et la nouvelle sont deux genres très florissants, le critère de la dimension du récit est toujours le critère déterminant : la nouvelle est un récit linéaire, de dimension réduite. Au contraire, le roman cherche à restituer l'épaisseur de la vie, multipliant les lieux, les personnages et les intrigues, variant les points de vue. Mais là encore les frontières sont souvent floues.

Les étapes de l'action

L'action débute un jour de février 1819, sous la Restauration, à l'étude de maître Derville, où Chabert se présente une première fois vers 8 ou 9 h du matin et une deuxième fois à 1 h du matin. Après une ellipse[1] d'« *environ trois mois* » – correspondant au temps qu'il a fallu à Derville pour demander et recevoir les papiers prouvant l'aventure de Chabert sur le champ de bataille d'Eylau, le récit se poursuit un jour de mai 1819 : Derville rencontre Chabert au « *faubourg Saint-Marceau* », chez le nourrisseur Vergniaud, puis la comtesse Ferraud, au faubourg Saint-Germain où celle-ci demeure. Après une deuxième

---

1 ☞ p. 141.

ellipse d'une semaine, Chabert et la comtesse Ferraud se rencontrent à l'étude, puis partent à Groslay où ils passent quatre jours. Après une nouvelle ellipse de six mois, Derville rencontre le colonel Chabert au Palais de justice de Paris. Fin juin 1840, c'est-à-dire après une dernière ellipse de 22 ans, il le retrouve encore à l'hospice de la vieillesse de Bicêtre. Jusqu'ici, la linéarité du récit l'apparente plutôt au genre de la nouvelle.

L'ordre du récit

Ces cinq épisodes forment ce qu'on pourrait appeler un premier niveau de récit. Mais l'histoire du *Colonel Chabert* et surtout sa signification seraient proprement incompréhensibles si le récit ne transmettait pas au lecteur d'autres éléments de l'histoire des personnages. Ces éléments supplémentaires fournissent la matière de deux retours en arrière explicatifs, des analepses[1].

La première de ces analepses est constituée par le récit que Chabert fait à Derville de sa vie. Elle couvre une période qui s'étend de la bataille d'Eylau, en février 1807 (« *Monsieur, dit le défunt, peut-être savez-vous que je commandais un régiment de cavalerie à Eylau* », p. 28-29) jusqu'au retour de Chabert à Paris, en 1815 (« *J'entrai à Paris en même temps que les Cosaques* », p. 40), et relate le séjour de Chabert en Allemagne, la rencontre avec Boutin et son retour à Paris.

La seconde est constituée par un récit fait par le narrateur sur le remariage de la comtesse Ferraud : « *Un coup d'œil jeté sur la situation de M. le comte Ferraud et de sa femme est ici nécessaire pour faire comprendre le génie de l'avoué* » (p. 64). Ce récit intervient au moment où Derville, qui vient de quitter Chabert, se rend chez la comtesse Ferraud.

La durée

Le temps ne se déroule pas dans le récit à un rythme régulier. L'ensemble des étapes de l'action proprement dite (les deux visites de Chabert à l'étude, les deux rencontres de Derville avec Chabert puis sa femme, la confrontation à l'étude, enfin les deux dernières rencontres de Derville) couvriraient dans la fiction, si on les mettait bout à bout, une durée de quelques heures alors qu'elles représentent très exactement les quatre cinquièmes du récit. Le récit de Cha-

---

1 ☞ p. 141.

bert et celui du mariage de la comtesse Ferraud, qui couvrent une période de plus de dix ans, occupent le reste.

Le déroulement du récit dans *Le Colonel Chabert* n'est donc ni continu, ni régulier. Si l'on considère d'autre part son rattachement explicite à la somme romanesque qu'est *La Comédie humaine*, on rangera plutôt l'œuvre dans le genre romanesque.

Les tons et les genres

Si le genre du *Colonel Chabert* est si difficile à déterminer, c'est aussi à cause de l'extrême variété de ton qui s'y déploie. Dans la longue scène de l'étude, Balzac a pu utiliser les souvenirs de son passé de saute-ruisseau ; la verve, la vivacité et la fantaisie des dialogues classent cette scène dans le registre pittoresque, de même que la description de la vacherie du nourrisseur Vergniaud, avec ses animaux et les trois gamins. La première entrevue de Chabert avec Derville est sous le signe d'une inquiétante étrangeté, à forte dimension fantastique et intensité dramatique. La visite de Derville chez la comtesse Ferraud est toute en tension ; la confrontation à l'étude entre le colonel et sa femme est sous le signe de la surprise et du coup de théâtre. Quant à la scène où la comtesse trompe le colonel en jouant sur ses sentiments, elle utilise pleinement la tonalité pathétique, et l'émotion ne cesse d'affleurer dans le texte : « *De grosses larmes tombèrent des yeux flétris du pauvre soldat et roulèrent sur ses joues ridées* » (p. 60) ; enfin, la scène où le colonel jette son mépris à la face de sa femme est pleine d'une noble grandeur, tandis que la tirade finale de Derville est presque philosophique.

Une structure dialoguée

Comme au théâtre, l'action est presque intégralement constituée d'une succession de scènes entrecoupées d'ellipses. Sa progression est nette, chaque rencontre nouvelle entre les personnages en marque une étape, et les éléments qui ne sauraient trouver leur place dans un tel mode d'exposition sont généralement racontés par un personnage et donc intégrés de cette façon dans un mode dialogué : le notaire Crottat explique le détail de la succession Chabert à Derville (p. 49), le vieux Bicêtrien raconte à Derville et à Godeschal l'épisode de Chabert répondant au Prussien (p. 102) et, bien entendu, Chabert fait le récit de sa blessure et de ses malheurs à Derville (p. 28 à 36).

Cette délégation de la fonction narrative aux personnages eux-mêmes est un procédé usuel du langage romanesque. On peut toutefois trouver étrange que Chabert fasse le récit de sa propre mort. De fait, une partie du récit est présentée de manière hypothétique : « *Certaines circonstances, qui ne doivent être connues que du Père éternel, m'obligent à en présenter plusieurs comme des hypothèses* » (p. 30). Une autre partie du récit fait l'objet d'une double médiation, puisqu'elle a été racontée postérieurement à Chabert par son camarade Boutin : « *Ici, permettez-moi de placer un détail que je n'ai pu connaître que postérieurement à l'événement qu'il faut bien appeler ma mort* » (p. 30). Au plan narratif, on le voit, la « *mort* » de Chabert l'empêche de garder la maîtrise du récit et, ici encore, le personnage est, au sens propre, « aliéné ».

Le narrateur balzacien

Par leurs rencontres, leurs dialogues, leurs récits, les personnages du *Colonel Chabert* remplissent une bonne partie de ce qu'on appelle la fonction[1] narrative du récit. Le narrateur[2] intervient quant à lui le plus souvent pour commenter le récit : dans les descriptions, ou à certains moments décisifs de l'action. C'est le cas lorsqu'il apporte les précisions factuelles et explicatives nécessaires à la compréhension de la stratégie de Derville, en racontant le mariage de la comtesse Ferraud (p. 64 à 69) et lorsqu'il oriente la perception et la compréhension du lecteur à la fin du portrait de Chabert. Il occupe dans le récit à la fois une fonction de régie et une fonction idéologique : il explique et porte un jugement sur l'action.

Cette fonction du narrateur apparaît en particulier dans le cas de la comtesse Ferraud. La comtesse est un personnage hypocrite et faux. Or cette hypocrisie n'est visible que grâce à l'intervention du narrateur qui explique ses manœuvres : « *À ce mot, la comtesse dressa la tête. Un éclair d'espérance brilla dans ses yeux ; elle comptait peut-être spéculer sur la tendresse de son premier mari pour gagner son procès par quelque ruse de femme* » (p. 73) ; « *Mme la comtesse Ferraud en sortit dans une toilette simple, mais habilement calculée pour montrer la jeunesse de sa taille* » (p. 74) ; « *Il fallait être comédienne pour jeter tant d'éloquence, tant de sentiments dans un mot* » (p. 80) ; « *La comtesse sut imprimer un charme doux à ces souvenirs* » (p. 83) ; « *L'air de vérité qu'elle sut mettre dans cette réponse* » (p. 84), etc. On le voit, le narrateur ne laisse guère d'ambiguïté dans l'interprétation à donner du personnage de la comtesse.

---

1 ☞ p. 141.
2 ☞ p. 142.

Derville, personnage exemplaire

Le rôle de Derville dans *Le Colonel Chabert* est primordial : il représente une sorte de double du romancier. Sa position d'avoué le met à une place privilégiée pour observer la société et les individus : « *Mais un observateur, et surtout un avoué, aurait trouvé de plus en cet homme foudroyé les signes d'une douleur profonde, les indices d'une misère qui avait dégradé ce visage (...) Un médecin, un auteur, un magistrat eussent pressenti tout un drame à l'aspect de cette sublime horreur* » (p. 26) ; « *Un sourire malicieux et mordant exprima les idées moitié philosophiques, moitié railleuses qui devaient venir à un homme si bien placé pour connaître le fond des choses, malgré les mensonges sous lesquels la plupart des familles parisiennes cachent leur existence* » (p. 70). À l'étude, il est le seul à s'intéresser à l'inconnu, à l'écouter, à déceler la vérité dans le récit de Chabert. Sa curiosité et sa générosité en font une figure du romancier.

Dépositaire de la parole de Chabert, de sa souffrance, de son identité, il est son seul médiateur avec la société et le réel. Il suffit d'ailleurs qu'il quitte la scène, quand la comtesse emmène le colonel dans sa demeure à Groslay, pour que Chabert soit littéralement anéanti : il disparaît alors et on ne le retrouvera que mendiant, puis à moitié fou. Ce rôle de médiateur n'est pas sans analogie avec le rôle que Balzac se donne en se faisant l'observateur-témoin des splendeurs et des misères de l'individu dans la société...

Le double sens du mot « *étude* » est intéressant à cet égard. En effet, ce terme désigne à la fois le lieu où l'avoué et ses clercs traitent des cas juridiques et l'activité même du romancier (les trois sections où se rangent les romans de *La Comédie humaine* sont intitulées *Études de mœurs*, *Études philosophiques* et *Études analytiques*). C'est dire, encore une fois, à quel point la dimension juridique de la vie sociale et de l'individu est devenue prépondérante dans la vision que Balzac se fait de son époque.

Derville occupe, dans l'univers balzacien, une place intermédiaire. Les héros positifs de cet univers sont des conquérants, comme Rastignac. Ils sont face à une société qu'il s'agit d'abord de déchiffrer et de comprendre, ensuite de pénétrer : « *à nous deux maintenant* » dit Rastignac dans *Le Père Goriot* en regardant Paris qui s'étend devant ses yeux. Derville tient le milieu entre ce type de héros balzacien (ambitieux, travailleur et talentueux, il a sa fortune à faire et il la fait) et un personnage d'observateur philosophe, porte-parole de l'auteur qui, de la place de retrait où il se tient, observe le monde de loin : « *Je vais vivre à la campagne avec ma femme, Paris me fait horreur* » dit Derville à la fin du roman.

POSITION DE L'EXTRAIT	TEMPS	LIEUX	PERSONNAGES	SUJET DE LA SCÈNE
p. 10 à 15	Un jour de février 1819, vers 8-9 h du matin	Étude Derville	Boucard, Godeschal, Desroches, Huré, Simonnin	Les clercs de l'étude de Maître Derville rédigent une requête.
p. 15 à 24			Boucard, Godeschal, Desroches, Huré, Simonnin, Chabert	Un inconnu demande à parler à Me Derville. Les clercs lui disent de revenir à 1 h du matin. Il s'appelle Chabert.
p. 24 à 25	Même jour, vers 1 h du matin		Boucard, Chabert	Chabert se présente à l'étude.
p. 25 à 28			Boucard, Chabert, Derville	Entrée de Derville et portrait de Chabert.
p. 28 à 45			Chabert, Derville	Récit de Chabert : donné pour mort à la bataille d'Eylau, il demande à Derville de l'aider. Derville accepte.
p. 45			Derville, Boucard	Derville exprime ses doutes sur la sincérité de Chabert.
p. 48 à 50	Environ trois mois plus tard		Derville, Crottat, Boucard	Derville reçoit d'Allemagne les pièces attestant les dires de Chabert.
p. 50 à 52		Chez Vergniaud	Derville	Visite de Derville à son client. Description de l'endroit où habite Chabert.
p. 52 à 62			Derville, Chabert	Derville explique à Chabert qu'il faut transiger.
p. 62 à 64			Derville, Vergniaud	Vergniaud expose à Derville la délicatesse de Chabert.
p. 64 à 69		Cabriolet de Derville	Derville	Derville se rend chez la comtesse Ferraud. Le narrateur explique son plan de bataille.

POSITION DE L'EXTRAIT	TEMPS	LIEUX	PERSONNAGES	SUJET DE LA SCÈNE
p. 70 à 73		Chez la comtesse	Derville, La comtesse	Derville expose le cas à la comtesse et obtient son accord pour une transaction.
p. 74 à 75	Une semaine plus tard	Étude Derville	Chabert, La comtesse, Les clercs	Les anciens époux entrent dans l'étude sous l'œil moqueur des clercs.
p. 75 à 79			Derville, La comtesse, Chabert	La transaction échoue. La comtesse reconnaît Chabert.
p. 79 à 83		Le coupé de la comtesse	La comtesse, Chabert	Retrouvailles entre les deux époux. La comtesse essaie d'attendrir le colonel sur son sort.
p. 83 à 89	Les jours suivants	Près de Groslay, chez la comtesse	La comtesse, Chabert	La comtesse veut amener le colonel à signer un acte notarié. Elle lui montre ses enfants pour l'attendrir.
p. 89 à 90		À Saint-Leu-Taverny	Chabert, Delbecq	Chabert refuse de signer l'acte préparé par le notaire.
p. 90 à 92		Près de Groslay, chez la comtesse	La comtesse, Chabert, Delbecq	Chabert découvre qu'on veut le jouer, et disparaît.
p. 96	Six mois plus tard		Derville, Delbecq	Échange de lettres entre Derville et Delbecq.
p. 96 à 99	Quelque temps plus tard	Palais de justice	Derville, Chabert	Chabert a été arrêté et doit être emmené au dépôt de mendicité de Saint-Denis. Il donne à Derville un billet pour la comtesse.
p. 99 à 103	Vers la fin du mois de juin 1840	Sur l'avenue qui mène à Bicêtre	Derville, Godeschal, Chabert	Derville reconnaît Chabert dans la figure d'un vieux mendiant.

Amour

Très tôt, Balzac a eu le sentiment d'avoir été délaissé par sa mère au profit de son frère. Il donne de son enfance une expression romanesque empreinte de tristesse dans *Le Lys dans la vallée* : « *Quel poète nous dira les douleurs de l'enfant dont les sourires sont réprimés par le feu dévorant d'un œil sévère ? (...) je comptais pour si peu de chose que je subissais la compassion des gens (...) Je ne pouvais rien aimer et la nature m'avait fait aimant (...) tout mon être dut exprimer une résignation morne sous laquelle les grâces et les mouvements de l'enfance furent étouffés, attitude qui passa pour un symptôme d'idiotie.* » Ne pourrait-on voir dans cette image de l'enfant délaissé un écho de la description du vieux colonel attendant Derville, de nuit, à l'étude ? « *L'absence de tout mouvement dans le corps, de toute chaleur dans le regard, s'accordait avec une certaine expression de démence triste, avec les dégradants symptômes par lesquels se caractérise l'idiotisme, pour faire de cette figure je ne sais quoi de funeste qu'aucune parole humaine ne pourrait exprimer* » (p. 26).

La nostalgie de l'amour perdu est un des ressorts psychologiques majeurs du *Colonel Chabert*. Avec la chute de l'Empire et la mort de Napoléon, Chabert a perdu sa fortune, son statut et son nom : « *J'avais un père, l'Empereur ! Ah ! s'il était debout, le cher homme ! et qu'il vît son Chabert, comme il me nommait, dans l'état où je suis, mais il se mettrait en colère. Que voulez-vous ! notre soleil s'est couché, nous avons tous froid maintenant* » (p. 40).

La relation de Chabert avec sa femme, surtout, se joue dans les mêmes termes. « *Elle ne m'aime plus !* » (p. 43), s'exclame le vieux soldat à la fin de son récit à Derville. La dernière question que la comtesse pose à Derville à propos du colonel se situe toujours sur le même plan : « *M'aime-t-il encore ? dit-elle* » (p. 73). Dès que la rencontre a eu lieu, la comtesse sait à quoi s'en tenir : « *La comtesse pâlit. En la voyant pâlir sous son rouge, le vieux soldat, touché de la vive souffrance qu'il imposait à une femme jadis aimée avec ardeur, s'arrêta* » (p. 77). La ruse de la comtesse consiste alors à laisser croire au colonel qu'elle l'aime encore, mais d'un amour transformé, d'un amour filial (« *Deux grosses larmes roulèrent toutes chaudes sur les mains de sa femme, qu'il pressa pour exprimer une tendresse paternelle* », p. 80), et elle cherche à « *l'accoutumer à l'idée de restreindre son bonheur aux seules jouissances que goûte un père près d'une fille chérie »* (p. 83).

Dès qu'il découvre la duplicité de sa femme, Chabert s'avoue vaincu. Dépouillé de tout, c'est encore sur le terrain des sentiments que se joue sa relation avec Derville, lorsque celui-ci le retrouve une première fois au Palais de justice : *« Croyez, monsieur, que si je ne vous ai pas témoigné la reconnaissance que je vous dois pour vos bons offices, elle n'en est pas moins là, dit-il en se mettant la main sur le cœur. Oui, elle est là, pleine et entière. Mais que peuvent les malheureux ? Ils aiment, voila tout »* (p. 98-99).

❧ Argent

La dimension matérielle et économique de l'existence, moins représentée dans le roman des périodes antérieures, acquiert dans le roman du XIXᵉ siècle, et en particulier dans les romans réalistes et naturalistes, une place centrale. Ressort fondamental du pouvoir social, l'argent est un thème romanesque particulièrement important dans *La Comédie humaine*. Ce thème apparaît dès les premières pages du *Colonel Chabert*, puisqu'il est question, dans la requête *« grossoyée »* par les clercs, des biens restitués aux émigrés[1]. Tout au long du roman, l'argent est présent : c'est lui qui détermine le plus ou moins d'intérêt qu'il convient d'accorder à une affaire : *« Comment ! s'écria le Maître clerc, vous vous avisez de faire des requêtes dans l'affaire vicomtesse de Grandlieu contre Légion d'honneur, une affaire pour compte d'étude, entreprise à forfait ? Ah ! vous êtes un fier nigaud ! »* (p. 24) ; c'est lui qui permet la liberté : *« Je vais vous donner un mot pour mon notaire, qui vous remettra, sur votre quittance, cinquante francs tous les dix jours. (...) Si vous êtes le colonel Chabert, vous ne devez être à la merci de personne »* (p. 43-45) ; c'est lui qui fait ou défait les carrières politiques : *« il fallait une si grande fortune pour appuyer les prétentions du comte Ferraud... »* (p. 68).

Plus déterminant pour l'action même du roman, le lien entre argent et justice : il est impossible à Chabert de se faire entendre, et même d'exister s'il n'a pas d'abord de l'argent : *« Aucun homme de loi n'a voulu m'avancer dix napoléons afin de faire venir d'Allemagne les pièces nécessaires pour commencer mon procès »* (p. 36) ; il lui est impossible de faire s'exercer la justice sans argent : *« Eh bien, jusque-là, reprit Derville, ne faut-il pas plaider, payer des avocats, lever et solder les jugements, faire marcher des huissiers, et vivre ? les*

---

1 ☞ p. 11-12 et p. 113.

frais des instances préparatoires se monteront, à vue de nez, à plus de douze ou quinze mille francs. Je ne les ai pas, moi qui suis écrasé par les intérêts énormes que je paye à celui qui m'a prêté l'argent de ma charge. Et vous ! où les trouverez-vous ? » (p. 60).

Enfance et renaissance

Balzac ouvre son roman par la phrase d'un enfant *« Allons ! encore notre vieux carrick ! »*. Cette exclamation, et la boulette de pain lancée par Simonnin sur Chabert à travers la fenêtre donne le coup d'envoi à une scène pittoresque qui tient presque autant de la scène de classe que de la scène d'étude. Un peu plus loin, c'est dans la cour de la maison de Vergniaud où réside Chabert, que Balzac nous donne une deuxième *« scène d'enfants »*, non moins cocasse et pittoresque que la première : *« La maison était restée sous la protection de trois gamins »* (p. 52). Le personnage du « gamin de Paris », immortalisé par Victor Hugo dans *Les Misérables* avec le personnage de Gavroche est un véritable « type littéraire » que Balzac est ici un des premiers à illustrer.

De plus, dans le conflit d'intérêts qui oppose Chabert à sa femme, les enfants jouent un rôle prépondérant[1]. Lors de l'avant-dernière confrontation entre Chabert et sa femme à Groslay, le terme même revient de façon très insistante : *« L'on pouvait entendre dans le lointain du parc les voix de quelques enfants qui ajoutaient une sorte de mélodie aux sublimités du paysage »* (p. 86) ; *« Nomme-le ton mari, ma pauvre enfant, répondit le colonel avec un accent de bonté, n'est-ce pas le père de tes enfants ? »* (p. 86). L'arrivée des enfants va achever de convaincre le colonel Chabert qu'il lui faut s'effacer.

Ce thème de l'enfance joue aussi un rôle non négligeable au plan symbolique de l'œuvre. La fausse mort de Chabert, enterré sous un monceau de cadavres peut être interprétée, ainsi que l'ont montré différents critiques, comme une naissance symbolique. En effet, Chabert parle dans son récit d'une *« couverture de chair qui mettait une barrière entre la vie et (lui) »*, qu'il s'agit de percer (p. 32). Un peu plus loin, il raconte qu'il s'est trouvé *« au centre d'une petite ouverture par laquelle (il cria) aussi longtemps qu('il) le pu(t)... »* C'est une véritable description d'accouchement, et ce rapprochement est d'ailleurs explicitement confirmé quelques lignes plus loin par Chabert lui-même : *« Vous comprenez, monsieur, que j'étais sorti du ventre de la fosse aussi nu que de celui de ma mère »* (p. 34).

---

1 ☞ p. 72, 73, 88.

Chabert se retrouve à l'hôpital d'Heilsberg aussi nu qu'un nouveau-né, et retourne à Paris aussi démuni qu'un enfant abandonné. Cette situation n'est pas nouvelle pour lui, puisque, ainsi qu'il le déclare à Derville, il est un « *enfant d'hôpital* », c'est-à-dire un enfant trouvé, sans parents déclarés et sans nom. Que cherche d'ailleurs Chabert ? À se faire reconnaître, et à gagner son nom. N'est-ce pas la première démarche qu'un père effectue pour un enfant nouveau-né ? La comparaison de Chabert à un enfant est donc extrêmement forte, et délibérément assumée par le narrateur lui-même : « *Où en étais-je ? dit le colonel avec la naïveté d'un enfant ou d'un soldat, car il y a souvent de l'enfant dans le vrai soldat, et presque toujours du soldat chez l'enfant, surtout en France* » (p. 37) ; elle l'est aussi par les personnages (« *Laissez moi réparer vos sottises, grand enfant !* », lui dit Derville, p. 79).

◤ Vérité

La vérité, dans *Le Colonel Chabert*, est pratiquement toujours cachée. La véritable identité du colonel est d'abord ignorée des clercs, et le personnage est réduit métonymiquement[1] par eux à son vêtement, véritable symbole d'un passé démodé, révolu, le fameux carrick. L'action du *Colonel Chabert* peut même se lire toute entière comme une quête de la vérité, comme une tentative de la part de Chabert et de Derville pour établir l'existence et l'identité de Chabert, vérité que leurs adversaires ont intérêt à nier ou à maintenir cachée.

Cette vérité que la comtesse Ferraud refuse de reconnaître est liée à une autre vérité, qu'elle veut cacher, celle de son origine sociale de prostituée, que lui rappelle Chabert (p. 77). Ainsi, dans l'univers de la Restauration tel que nous le dépeint *Le Colonel Chabert*, la vérité est et demeure cachée. Seuls certains personnages y ont accès. Chabert d'abord, à qui est révélée, à plusieurs reprises, la véritable nature, la cruauté de sa femme : « *J'ai eu tort de la mal choisir, de me fier à des apparences. Elle n'a pas de cœur* » (p. 79), dit-il après sa confrontation avec la comtesse dans l'étude de Derville ; « *La vérité s'était montrée dans sa nudité* », pense-t-il après avoir surpris la conversation entre sa femme et Delbecq.

Derville, que Chabert choisit comme dépositaire de son récit et de sa véritable identité est, comme Rastignac dans *Le Père Goriot*, un de ceux qui, dans *La Comédie humaine*, voient le fond des choses : « *un homme si bien placé pour connaître le fond des choses, malgré les*

---

1 ☞ p. 142.

mensonges sous lesquels la plupart des familles parisiennes cachent leur existence » (p. 70) ; il interroge la comtesse « *en paraissant lire au fond de son âme* » (p. 71) ; il est présenté à plusieurs reprises comme celui qui voit la vérité : « *Mais un observateur, et surtout un avoué, aurait trouvé de plus en cet homme foudroyé les signes d'une douleur profonde* » (p. 26), « *Combien de choses n'ai-je pas apprises en exerçant ma charge ! J'ai vu mourir un père dans un grenier, sans sou ni maille, abandonné par deux filles auxquelles il avait donné quarante mille livres de rente ! J'ai vu brûler des testaments (...) J'ai vu des crimes contre lesquels la justice est impuissante. Enfin, toutes les horreurs que les romanciers croient inventer sont toujours au-dessous de la vérité* » (p. 103).

Véritable porte-parole de l'auteur[1], Derville, témoin et spectateur de la vérité est aussi en partie le dépositaire du projet balzacien de découvrir et de faire surgir, dans tous les recoins de la société humaine, la vérité cachée des familles et des individus.

---

1 ☞ p. 123.

La guerre

STENDHAL • *LA CHARTREUSE DE PARME* • 1839

Le regard naïf de Fabrice

Admirateur de Napoléon, le jeune Fabrice Del Dongo a rejoint les troupes de l'Empereur à Waterloo. C'est pour lui un véritable « baptême du feu ».

L'escorte prit le galop ; on traversait une grande pièce de terre labourée, située au-delà du canal, et ce champ était jonché de cadavres.

– Les habits rouges ! les habits rouges ! criaient avec joie les hussards de l'escorte, et d'abord Fabrice ne comprenait pas ; enfin il remarqua qu'en effet presque tous les cadavres étaient vêtus de rouge. Une circonstance lui donna un frisson d'horreur ; il remarqua que beaucoup de ces malheureux habits rouges vivaient encore ; ils criaient évidemment pour demander du secours, et personne ne s'arrêtait pour leur en donner. Notre héros, fort humain, se donnait toutes les peines du monde pour que son cheval ne mît les pieds sur aucun habit rouge. L'escorte s'arrêta ; Fabrice, qui ne faisait pas assez d'attention à son devoir de soldat, galopait toujours en regardant un malheureux blessé.

– Veux-tu bien t'arrêter, blanc-bec ! lui cria le maréchal des logis. Fabrice s'aperçut qu'il était à vingt pas sur la droite en avant des généraux, et précisément du côté où ils regardaient avec leurs lorgnettes. En revenant se ranger à la queue des autres hussards restés à quelques pas en arrière, il vit le plus gros de ces généraux qui parlait à son voisin, général aussi, d'un air d'autorité et presque de réprimande ; il jurait. Fabrice ne put retenir sa curiosité ; et, malgré le conseil de ne point parler, à lui donné par son amie la geôlière, il arrangea une petite phrase bien française, bien correcte, et dit à son voisin :

– Quel est-il ce général qui *gourmande* son voisin ?

– Pardi, c'est le maréchal !

– Quel maréchal ?

– Le maréchal Ney, bêta ! Ah çà ! où as-tu servi jusqu'ici ?

Fabrice, quoique fort susceptible, ne songea point à se fâcher de l'injure ; il contemplait, perdu dans une admiration enfantine, ce fameux prince de la Moskova, le brave des braves.

Tout à coup on partit au grand galop. Quelques instants après, Fabrice vit, à vingt pas en avant, une terre labourée qui était remuée d'une façon singulière. Le fond des sillons était plein d'eau, et la terre fort humide, qui formait la crête de ces sillons, volait en petits fragments noirs lancés à trois ou quatre pieds de haut. Fabrice remarqua en passant cet effet singulier ; puis sa pensée se remit à songer à la gloire du maréchal. Il entendit un cri sec auprès de lui ; c'étaient deux hussards qui tombaient atteints par des boulets ; et, lorsqu'il les regarda, ils étaient déjà à vingt pas de l'escorte. Ce qui lui sembla horrible, ce fut un cheval tout sanglant qui se débattait sur la terre labourée, en engageant ses pieds dans ses propres entrailles ; il voulait suivre les autres : le sang coulait dans la boue.

Ah ! m'y voilà donc enfin au feu ! se dit-il. J'ai vu le feu ! se répétait-il avec satisfaction. Me voici un vrai militaire. À ce moment, l'escorte allait ventre à terre, et notre héros comprit que c'étaient des boulets qui faisaient voler la terre de toutes parts. Il avait beau regarder du côté d'où venaient les boulets, il voyait la fumée blanche de la batterie à une distance énorme, et, au milieu du ronflement égal et continu produit par les coups de canon, il lui semblait entendre des décharges beaucoup plus voisines ; il n'y comprenait rien du tout.

STENDHAL, La Chartreuse de Parme, chap. 3.

QUESTIONS

1. Relevez toutes les expressions qui font référence aux perceptions du héros, et montrez qu'elles structurent le récit.

2. Étudiez le contraste entre l'horreur décrite et les sentiments de Fabrice.

3. Comment Fabrice est-il perçu par les autres personnages ? Analysez l'ironie avec laquelle il est présenté par le narrateur (☞ p. 142).

HUGO • *LES MISÉRABLES* • 1862

L'Abîme

Dans Les Misérables, *Victor Hugo (1802-1885) fait un long récit de la bataille de Waterloo, et décrit un chemin creux, derrière la crête du plateau de Mont Saint-Jean, où se serait engouffrée une partie de l'armée de Napoléon.*

Derrière la crête du plateau, à l'ombre de la batterie masquée, l'infanterie anglaise, formée en treize carrés, deux bataillons par carré, et sur deux lignes, sept sur la première, six sur la seconde, la crosse à l'épaule, couchant en joue ce qui allait venir, calme, muette, immobile, attendait. Elle ne voyait pas les cuirassiers et les cuirassiers ne la voyaient pas. Elle écoutait monter cette marée d'hommes. Elle entendait le grossissement du bruit des trois mille chevaux, le frappement alternatif et symétrique des sabots au grand trot, le froissement des cuirasses, le cliquetis des sabres, et une sorte de grand souffle farouche. Il y eut un silence redoutable, puis, subitement, une longue file de bras levés brandissant des sabres apparut au-dessus de la crête, et les casques et les trompettes, et les étendards, et trois mille têtes à moustaches grises criant : vive l'empereur ! toute cette cavalerie déboucha sur le plateau, et ce fut comme l'entrée d'un tremblement de terre.

Tout à coup, chose tragique, à la gauche des Anglais, à notre droite, la tête de colonne des cuirassiers se cabra avec une clameur effroyable. Parvenus au point culminant de la crête, effrénés, tout à leur furie et à leur course d'extermination sur les carrés et les canons, les cuirassiers venaient d'apercevoir entre eux et les Anglais un fossé, une fosse. C'était le chemin creux d'Ohain.

L'instant fut épouvantable. Le ravin était là, inattendu, béant, à pic sous les pieds des chevaux, profond de deux toises entre son double talus ; le second rang y poussa le premier, et le troisième y poussa le second ; les chevaux se dressaient, se rejetaient en arrière, tombaient sur la croupe, glissaient les quatre pieds en l'air, pilant et bouleversant les cavaliers, aucun moyen de reculer, toute la colonne n'était plus qu'un projectile, la force acquise pour écraser les Anglais écrasa les Français, le ravin inexorable ne pouvait se rendre que comblé, cavaliers et chevaux y roulèrent pêle-mêle se broyant les uns les autres, ne faisant qu'une chair dans ce gouffre, et, quand cette fosse fut pleine d'hommes vivants, on marcha dessus et le reste passa. Presque un tiers de la brigade Dubois croula dans cet abîme.

Victor HUGO, *Les Misérables*, Partie II, Livre I, chap. 9.

QUESTIONS

1. Étudiez la structure du texte et montrez qu'elle rend parfaitement compte du déroulement de la catastrophe.

2. *« Le chemin creux d'Ohain »* : relevez et commentez les expressions qui servent à le désigner dans le troisième paragraphe.

3. Par l'étude du rythme et de la syntaxe, mettez en valeur la tonalité du texte et sa dramatisation.

HUGO • *LES MISÉRABLES* • 1862

Le Charnier

La nuit venue, le chemin creux d'Ohain, n'est plus qu'un gigantesque charnier rempli de cadavres.

Si quelque chose est effroyable, s'il existe une réalité qui dépasse le rêve, c'est ceci : vivre, voir le soleil, être en pleine possession de la force virile, avoir la santé et la joie, rire vaillamment, courir vers une gloire qu'on a devant soi, éblouissante, se sentir dans la poitrine un poumon qui respire, un cœur qui bat, une volonté qui raisonne, parler, penser, espérer, aimer, avoir une mère, avoir une femme, avoir des enfants, avoir la lumière, et tout à coup, le temps d'un cri, en moins d'une minute, s'effondrer dans un abîme, tomber, rouler, écraser, être écrasé, voir des épis de blé, des fleurs, des feuilles, des branches, ne pouvoir se retenir à rien, sentir son sabre inutile, des hommes sous soi, des chevaux sur soi, se débattre en vain, les os brisés par quelque ruade dans les ténèbres, sentir un talon qui vous fait jaillir les yeux, mordre avec rage des fers de chevaux, étouffer, hurler, se tordre, être là-dessous, et se dire : tout à l'heure j'étais un vivant !

Là où avait râlé ce lamentable désastre, tout faisait silence maintenant. L'encaissement du chemin creux était comble de chevaux et de cavaliers inextricablement amoncelés. Enchevêtrement terrible. Il n'y avait plus de talus. Les cadavres nivelaient la route avec la plaine et venaient au ras du bord comme un boisseau d'orge bien mesuré. Un tas de morts dans la partie haute, une rivière de sang dans la partie basse ; telle était cette route le soir du 18 juin 1815. Le sang coulait jusque sur la chaussée de Nivelles et s'y extravasait en une large mare devant l'abatis d'arbres qui barrait la chaussée, à un endroit qu'on montre encore. C'est, on s'en souvient, au point opposé, vers la chaussée de Genappe, qu'avait eu lieu l'effondrement des cuirassiers. L'épaisseur des cadavres se proportionnait à la profondeur du chemin creux. Vers le milieu, à l'endroit où il devenait plaine, là où avait passé la division Delord, la couche des morts s'amincissait.

Victor Hugo, Les Misérables, Partie II, Livre I, chap. 19.

QUESTIONS

1. Montrez comment le premier paragraphe présente les choses de façon à la fois très générale et très subjective. Quel est l'effet qu'il cherche à produire sur le lecteur ?

2. Comparez ce texte avec la description que Chabert fait de la fosse où il a été enterré (p. 30-34). L'horreur est-elle plus sensible ici ? Pourquoi ?

ZOLA • *LA DÉBÂCLE* • 1892

D'un Napoléon à l'autre

Dans l'avant-dernier roman du cycle des Rougon-Macquart, Zola décrit la défaite des Français contre les Prussiens lors de la guerre de 1870-71. Le souvenir de Napoléon Ier est encore présent dans toutes les mémoires.

Les temps se confondaient, cela semblait se passer en dehors de l'histoire, dans un choc effroyable de tous les peuples. Les Anglais, les Autrichiens, les Prussiens, les Russes, défilaient tour à tour et ensemble, au petit bonheur des alliances, sans qu'il fût toujours possible de savoir pourquoi les uns étaient battus plutôt que les autres. Mais, en fin de compte, tous étaient battus, inévitablement battus à l'avance, dans une poussée d'héroïsme et de génie qui balayait les armées comme de la paille. C'était

Marengo, la bataille en plaine, avec ses grandes lignes savamment développées, son impeccable retraite en échiquier, par bataillons, silencieux et impassibles sous le feu, la légendaire bataille perdue à trois heures, gagnée à six, où les huit cents grenadiers de la garde consulaire brisèrent l'élan de toute la cavalerie autrichienne, où Desaix arriva pour mourir et pour changer la déroute commençante en une immortelle victoire. C'était Austerlitz, avec son beau soleil de gloire dans la brume d'hiver, Austerlitz débutant par la prise du plateau de Pratzen, se terminant par la terrifiante débâcle des étangs glacés, tout un corps d'armée russe s'effondrant sous la glace, les hommes, les bêtes, dans un affreux craquement, tandis que le dieu Napoléon, qui avait naturellement tout prévu, hâtait le désastre à coups de boulets. C'était Iéna, le tombeau de la puissance prussienne, d'abord des feux de tirailleurs à travers le brouillard d'octobre, l'impatience de Ney qui manque de tout compromettre, puis l'entrée en ligne d'Augereau qui le dégage, le grand choc dont la violence emporte le centre ennemi, enfin la panique, le sauve-qui-peut d'une cavalerie trop vantée, que nos hussards sabrent ainsi que des avoines mûres, semant la vallée romantique d'hommes et de chevaux moissonnés. C'était Eylau, l'abominable Eylau, la plus sanglante, la boucherie entassant les corps hideusement défigurés, Eylau rouge de sang sous sa tempête de neige, avec son morne et héroïque cimetière, Eylau encore tout retentissant de sa foudroyante charge des quatre-vingts escadrons de Murat, qui traversèrent de part en part l'armée russe, jonchant le sol d'une telle épaisseur de cadavres, que Napoléon lui-même en pleura.

Émile Zola, La Débâcle, 1892.

QUESTIONS

1. Ce passage est une célébration à la gloire de Napoléon. Quels sont les procédés employés pour exprimer la grandeur de ses victoires ? Vous étudierez les anaphores (☞ p. 141), le rythme et le temps des verbes.

2. En quoi l'évocation de ces batailles est-elle néammoins sinistre ?

3. Comparez cette description de la bataille d'Eylau à celle qu'en fait Chabert (p. 29-30).

BARBUSSE • *LE FEU* • 1916

Le cloaque

Le Feu est le récit de l'expérience militaire d'Henri Barbusse pendant la Première Guerre mondiale. Écrit sous la forme d'un journal (sous-titre : Journal d'une escouade*), le roman obtint le prix Goncourt en 1917.*

Voici, en travers de la piste qu'on suit et qu'on gravit comme une débâcle, comme une inondation de débris sous la tristesse dense du ciel, voici un homme étendu comme s'il dormait ; mais il a cet aplatissement étroit contre la terre qui distingue un mort d'un dormeur. C'est un homme de corvée de soupe, avec son chapelet de pains enfilés dans une sangle, la grappe des bidons des camarades retenus à son épaule par un écheveau de courroies. Ce doit être cette nuit qu'un éclat d'obus lui a creusé puis troué le dos. Nous sommes sans doute les premiers à le découvrir, obscur soldat mort obscurément. Peut-être sera-t-il dispersé avant que d'autres le découvrent. On cherche sa plaque d'identité, elle est collée dans le sang caillé où stagne sa main droite. Je copie le nom écrit en lettres de sang.

Poterloo m'a laissé faire tout seul. Il est comme un somnambule. Il regarde, regarde éperdument, partout ; il cherche à l'infini parmi ces choses éventrées, disparues, parmi ce vide, il cherche jusqu'à l'horizon brumeux.

Puis il s'assoit sur une poutre qui est là, en travers, après avoir, d'un coup de pied, fait sauter une casserole tordue posée sur la poutre. Je m'assois à côté de lui. Il bruine légèrement. L'humidité du brouillard se résout en gouttelettes et met un léger vernis sur les choses.

Il murmure :

– Ah ! zut !... zut !...

Il s'éponge le front : il lève sur moi des yeux de suppliant. Il essaye de comprendre, d'embrasser cette destruction de tout ce coin de monde, de s'assimiler ce deuil. Il bafouille des propos sans suite, des interjections. Il ôte son vaste casque et on voit sa tête qui fume. Puis il me dit, péniblement :

– Mon vieux, tu peux pas te figurer, tu peux pas, tu peux pas...

Il souffle :

– Le Cabaret Rouge, où c'est qu'il y a c'te tête de Boche, et, tout autour, des fouillis d'ordures..., c't'espèce de cloaque, c'était... sur le bord de la route, une maison en briques et deux bâtiments bas, à côté... combien de fois, mon vieux, à la place même où on s'est arrêté, combien de fois, là, à la bonne femme qui rigolait sur le pas de sa porte, j'ai dit au revoir en m'essuyant la bouche et en regardant du côté de Souchez où je rentrais ! Et après quelques pas, on se retournait pour lui crier une blague ! Oh ! tu peux pas te figurer...

« Mais ça, alors, ça !... »

Il fait un geste circulaire pour me montrer toute cette absence qui l'entoure...

Henri Barbusse, Le Feu, Flammarion, 1916.

QUESTIONS

1. Analysez comment, dans la description du lieu et du mort, se superposent deux images : celle du village et de l'homme avant la mort, et celle du carnage actuel. Quel est l'effet produit ?

2. Montrez, notamment en étudiant le style, comment s'exprime l'émotion de Poterloo. Étudiez à cet égard l'emploi du discours direct et justifiez-le.

CÉLINE • *VOYAGE AU BOUT DE LA NUIT* • 1932

L'absurdité de la guerre

Le héros du Voyage au bout de la nuit, *Ferdinand Bardamu, s'est enrôlé presque par hasard dans un régiment, en 1914. De retour à l'arrière, il exprime à Lola, son dégoût de la guerre.*

– Oh ! Vous êtes donc tout à fait lâche, Ferdinand ! Vous êtes répugnant comme un rat !

– Oui, tout à fait lâche, Lola, je refuse la guerre et tout ce qu'il y a dedans. Je ne la déplore pas moi... Je ne me résigne pas moi... Je ne pleurniche pas dessus moi... Je la refuse tout net, avec tous les hommes qu'elle contient, je ne veux rien avoir à faire avec eux, avec elle. Seraient-ils neuf cent quatre-vingt-quinze millions et moi tout seul, c'est eux qui ont tort, Lola, et c'est moi qui ai raison, parce que je suis le seul à savoir ce que je veux : je ne veux plus mourir.

— Mais c'est impossible de refuser la guerre, Ferdinand ! Il n'y a que les fous et les lâches qui refusent la guerre quand leur Patrie est en danger...

— Alors vivent les fous et les lâches ! Ou plutôt survivent les fous et les lâches ! Vous souvenez-vous d'un seul nom par exemple, Lola, d'un de ces soldats tués pendant la guerre de Cent Ans ?... Avez-vous jamais cherché à en connaître un seul de ces noms ?... Non, n'est-ce pas ?... Vous n'avez jamais cherché ? Ils vous sont aussi anonymes, indifférents et plus inconnus que le dernier atome de ce presse-papier devant nous, que votre crotte du matin... Voyez donc bien qu'ils sont morts pour rien, Lola ! Pour absolument rien du tout, ces crétins ! Je vous l'affirme ! La preuve est faite ! Il n'y a que la vie qui compte. Dans dix mille ans d'ici, je vous fais le pari que cette guerre, si remarquable qu'elle nous paraisse à présent, sera complètement oubliée... À peine si une douzaine d'érudits se chamailleront encore par-ci, par-là, à son occasion et à propos des dates des principales hécatombes dont elle fut illustrée... C'est tout ce que les hommes ont réussi jusqu'ici à trouver de mémorable au sujet les uns des autres à quelques siècles, à quelques années et même à quelques heures de distance... Je ne crois pas à l'avenir, Lola...

Louis-Ferdinand CÉLINE, *Voyage au bout de la nuit*, Gallimard, 1932.

QUESTIONS

1. Quels sont les arguments avancés par Bardamu pour refuser la guerre ? Son raisonnement vous paraît-il fondé ?

2. En quoi le destin du colonel Chabert et en particulier le résumé qu'en fait Derville à la fin du roman pourrait-il représenter un argument pour défendre les propos tenus par Bardamu dans la deuxième partie du texte ?

3. Quelles valeurs Bardamu cherche-t-il à démystifier ?

Lire, voir...

BIBLIOGRAPHIE

BALZAC, *Le Colonel Chabert*, édition établie et commentée par Pierre CITRON, Didier, 1961.
Pierre BARBÉRIS, *Balzac, une mythologie réaliste*, Larousse, 1971.
Pierre BARBÉRIS, *Le Monde de Balzac*, éd. Arthaud, 1973.
Maurice BARDÈCHE, *Balzac romancier*, Plon, 1941, rééd. Julliard, 1980.
Lucienne FRAPPIER-MAZURE, « Fortune et filiation dans quatre nouvelles de Balzac », *Littérature* n° 29, février 1978.
Bernard GUYON, *La Pensée politique et sociale de Balzac*, A. Colin, 1967.
Marcelle MARINI, « Chabert, mort ou vif », *Littérature* n° 13, février 1974.
Nicole MOZET, *Balzac au pluriel*, P.U.F., 1985.
Gaëtan PICON, *Balzac par lui-même*, Le Seuil, 1956.
André WURMSER, *La Comédie inhumaine*, Gallimard, 1970.

FILMOGRAPHIE

Le Colonel Chabert, film de René LE HÉNAFF avec Raimu et Marie Bell, 1943.
Le Colonel Chabert, film de Yves ANGELO avec Gérard Depardieu, Fanny Ardant et Fabrice Luchini, 1994.

Analepse : retour en arrière du récit, consistant à évoquer après coup un événement antérieur au point de l'histoire où on se trouve. C'est le cas lorsque Chabert raconte à Derville, en février 1819, la bataille d'Eylau, qui a eu lieu en 1807.

Anaphore : répétition, en tête de plusieurs strophes dans un poème, de plusieurs paragraphes ou de plusieurs phrases, d'un même terme, destiné à marquer le rythme du discours d'un effet oratoire. Ex : à la page 103, la répétition de « *J'ai vu* » constitue une anaphore.

Aphorisme : vérité énoncée sous la forme d'une maxime.

Champ lexical : ensemble des termes appartenant à une même famille de sens. Par exemple, amour, colère, haine, tendresse, pitié, compassion, sympathie appartiennent au champ lexical des sentiments.

Ellipse : figure de style qui consiste à passer sous silence une partie des événements de la fiction et de faire ainsi un saut en avant dans le temps. Les vingt ans qui s'écoulent entre la rencontre de Derville et de Chabert au Palais de justice et celle de Bicêtre (p. 99) constituent une ellipse.

Énonciation : par opposition à l'énoncé, l'énonciation désigne non pas le contenu du texte, mais le processus de sa production. Les adverbes d'énonciation font référence à l'énonciation (certes, donc, peut-être, notamment, par exemple).

Focalisation : déterminer la focalisation du récit, ou point de vue, consiste à répondre à la question : qui voit les événements ? *La focalisation interne* consiste à présenter les événements selon la vision subjective d'un personnage : le narrateur en sait autant qu'un personnage donné. *La focalisation externe* consiste à présenter les événements selon un point de vue neutre et objectif : le narrateur en sait moins que les personnages. *La focalisation zéro* consiste à présenter les événements selon un point de vue omniscient, c'est-à-dire en n'omettant aucun détail, aucune circonstance : le narrateur en sait plus que tous les personnages réunis.

Fonctions du récit : d'après Gérard Genette, le fait de raconter un récit implique ou peut impliquer pour le narrateur de remplir les fonctions suivantes : *La fonction narrative*, indissociable de tout récit, consiste, tout simplement, à raconter les événements de l'histoire. *La fonction de régie* consiste à indiquer ou à marquer les articulations du récit. C'est cette fonction que remplit le narrateur dans *Le Colonel Chabert*, lorsqu'il dit : « *Un coup d'œil jeté sur la situation de M. le comte Ferraud et de sa femme est ici nécessaire pour faire comprendre le génie de l'avoué* » (p. 64). *La fonction de communication* consiste pour le narrateur à établir un contact avec le lecteur. *La fonction testimoniale* consiste pour le narrateur à exprimer la part qu'il prend à l'action. Et *la fonction idéologique* consiste pour le narrateur à faire un commentaire de l'action, à exprimer un jugement.

Incipit : du latin *incipere*, commencer : premier mot, et par extension première page, du roman.

Métaphore : figure de style qui consiste à rapprocher deux éléments dans une même formule en vertu d'une relation de ressemblance subjective. Ex : « *les antres de la Chicane* » pour « les études d'avoués » (p. 15).

Métonymie : figure qui consiste à désigner quelque chose par un autre élément du même ensemble en vertu d'une relation suffisamment nette. Ex : *« Allons ! encore notre vieux carrick ! »* (p. 10).

Modalité : attitude de celui qui parle (le locuteur) par rapport à ce qu'il dit (l'énoncé). Il existe quatre modalités de la phrase : assertive, interrogative, jussive (ou impérative), exclamative.

Narrateur : personnage ou instance qui, dans un récit, raconte l'histoire. Il ne faut pas le confondre avec l'auteur, même s'il en est bien souvent le représentant dans le texte.

Périphrase : figure de style qui consiste à désigner un objet ou un personnage par une définition qui le caractérise. Ex. : *« L'homme qui a gagné la bataille d'Eylau »* pour *« le colonel Chabert »*.

Récit/Histoire/Narration : dans un roman, *l'histoire* est constituée par ce qui est raconté : événements, personnages, circonstances. *La narration* est la façon de raconter, *le récit* est l'ensemble constitué par ces événements et la façon dont ils sont racontés. Dans un roman, le récit est donc l'ensemble du texte.

Vaudeville : comédie légère à rebondissements.

Pour mieux exploiter les questionnaires

Ce tableau fournit la liste des rubriques utilisées dans les questionnaires, avec les renvois aux pages correspondantes, de façon à permettre des études d'ensemble sur tel ou tel de ces aspects (par exemple dans le cadre de la lecture suivie).

RUBRIQUES	Pages		
	Chapitre I	Chapitre II	Chapitre III
CARACTÈRES		58, 67, 78, 93	104
GENRES	14, 33	78, 93	
QUI PARLE ? QUI VOIT ?	17	81	104
SOCIÉTÉ	14, 27	58, 67	
STRATÉGIES	27, 33	58, 81, 85	
L'ART DU RÉCIT	14, 17, 27, 44	53, 95	
STYLE	14, 17	67, 93	
THÈMES	17, 44	53, 67, 85	
TONS	33, 44	81, 85	104

Références des photographies :

p. 4 : Bibliothèque nationale, Paris (Ph. © Archives Photeb). – p. 13 : Bibliothèque nationale, Paris (Ph. © Bibl. Nat./Archives Photeb). – p. 31 : Musée du Louvre, Paris (Ph. Hubert Josse © Archives Photeb). – p. 41 : Musée Carnavalet, Paris (Ph. © Bulloz). – p. 57 : Musée Carnavalet, Paris (Ph. J.-L. Charmet © Archives Photeb). – p. 87 : Ph. coll. Christophe L/D.R. – p. 101 : Ph. © coll. Viollet. – p. 115 : Bibliothèque nationale, Paris (Ph. © Bibl. Nat./Archives Photeb).

Couverture : *La Bataille d'Eylau*, détail du tableau d'Adolphe Roehn (1780-1867) (Château de Grosbois. Ph Hubert Josse © Archives Photeb).

Conception de la maquette intérieure : Atelier Gérard Finel.

Iconographie : Christine Varin.

Composition, mise en page, photogravure P.F.C., 39105 Dôle
Dépôt légal : août 1994 - Imprimerie Hérissey, 27000 Évreux
N° d'impression : 66178 - Achevé d'imprimer en juillet 1994